生活·认知·成长

青春励志故事

生活·认知·成长

青春励志故事

生活·认知·成长
青春励志故事

乡思红·别样的爱

风尚卷

杨晓敏◎主编

地震出版社

图书在版编目（CIP）数据

乡思红·别样的爱：风尚卷／杨晓敏主编．—北京：地震出版社，2012.3
（生活·认知·成长青春励志故事）
ISBN 978-7-5028-4027-3

Ⅰ.①乡… Ⅱ.①杨… Ⅲ.①短篇小说－小说集－中国－当代
Ⅳ.①I247.7

中国版本图书馆 CIP 数据核字（2012）第 029698 号

地震版 XM2649

乡思红·别样的爱——风尚卷
主　　编：杨晓敏
执行主编：马国兴　王彦艳
责任编辑：范静泊
责任校对：孔景宽　凌　樱

出版发行：地震出版社
北京民族学院南路 9 号　邮编：100081
发行部：68423031　68467993　传真：88421706
门市部：68467991　传真：68467991
总编室：68462709　68721982　传真：68455221
E-mail：seis@mailbox.rol.cn.net
http：//www.dzpress.com.cn
经销：全国各地新华书店
印刷：北京振兴源印务有限公司

版（印）次：2012 年 5 月第一版　2012 年 5 月第一次印刷
开本：710×1000　1/16
字数：207 千字
印张：15
书号：ISBN 978-7-5028-4027-3/I（4702）
定价：28.00 元

序

杨晓敏

好书是具有生命力的。一本好书，我们拿在手上，揣在兜里，或者放在枕边，会感觉到它和我们的心一起跳动。在日常的学习生活中，我们每天都在用最经济的时间、精力和财力，收获着超值的知识、学问和智慧，于是我们自己，就在一天天地充实厚重起来。

优秀的短篇小说，就是这样的好书。它是顺应现代人繁忙生活而发展成的一种篇幅短小的小说。跟一般小说一样重视场景、个人形象、人物心理、叙事节奏。优秀的作者可写出转折虽少却意境深远，或转折虽多却清新动人的作品。

现在，许多优秀的作者舒展超感的心灵触觉，用生花的妙笔，把小小说从文学神坛上牵引下来，在我们广大读者面前，展现出一幅幅五颜六色的生活画卷，或曲折离奇，或险象环生，或嬉笑怒骂，或幽默诙谐。于是，阅读一本小小说，就成了繁忙生活的轻松点缀，紧张学习的有效调剂，抹平了你我微皱的眉头，漾起了会心一笑的嘴角。

我们精心编选的这套“生活·认知·成长青春励志故事”小小说丛书，每一辑都包含了“悟性”“创意”“想象”“品味”“风尚”“情愫”六卷，并围绕这六个主题，选取当代国内知名作家的精品力作，各自汇编成书，具有强劲的文学感染力。篇篇都耐人寻味，本本都精挑细选，既是青少年认识社会的窗口、丰富阅历的捷径，又堪称写作素材的宝典。作品遴选在注重情节奇巧跌宕，阅读效果峰回路转、柳暗花明的同时，注重价值取向，旨在引导青少年全面、客观地认识社会，开阔视野和胸怀，提高综合素质，进而确立正确的人生观、价值观。

在这套书里，我们推荐给青少年读者的是充满活力的大众文化形态的小小说佳品荟萃。所选择的作品，尽量体现质朴单纯，而质朴不是粗硬，单纯不是单薄；体现简洁明朗，而简洁不是简单，明朗不是直白。它们是理性思维与艺术趣味的有机融合，是人类智慧结晶的灵光闪烁，是春风化雨滋润心灵的真情倾诉，是鲜活知识枝头的摇曳多姿，是青少年读者嗅得着的缕缕墨香。

知识没有界线，可以人类共享，只要是具有优良质地的文化产品，都能互补、渗透、影响和给人以启迪。任何一粒精壮的知识种子，播撒在人们的心灵深处，都会开出艳丽的花朵，结成高尚的果实。

青年出版家尚振山先生以极大的热情，独到的眼光，精心策划了这一套“生活·认知·成长青春励志故事”丛书，我和同仁马国兴先生、王彦艳女士应邀参与编纂，当然也愿意大力推荐给广大青少年朋友们。

2012 年春

乡思红·别样的爱

contents 目录

槐抱柳

○袁省梅

你见过这样的树吗?

本是棵槐树，扭曲的躯干，黑铁般的外表，龟裂的表皮，半腰里却被谁挖走了般，凹陷成一个马槽般的大坑。偏偏就在那大坑里长出了一棵柳树，枝条越长越大，夹在槐树横横竖竖的枝条间。风沙把村里村外的树都击打得枯死了，却在槐抱柳跟前没了奈何。

槐抱柳活着，准确地说，槐抱柳也有一部分死了，死了的是槐树的一半，长在槐树怀里的柳树却活得好好的。

这棵树生长在五里柳，是五里柳唯一的一棵树，也是五里柳最老的树。谁也不知道这棵树多少岁了。就像不知道王长信老人多少岁。有人说老人一百岁了，有人说加上闰年闰月该一百多了。王长信老人听了，笑得咯咯的，指着村口的槐抱柳说，它肯定知道，你们问它吧。

可是，没人问这棵老树。

人们都很忙。

人们被风沙撵着，忙着搬家。人们说，五里柳不能住了，风沙要把人都给埋了。王长信老人没走。老人说他不走，说，那些空荡荡的院子房子不让他走，五里柳不让他走。老人说，我走了，谁管这棵槐抱柳呢?

王长信老人每天从很远的地方担水，给自己喝，给槐抱柳喝。

都走了，就剩咱俩了。王长信老人给树浇着水，咯咯笑，五里柳就剩咱两个活物了。老人把这棵树当成人了。王长信老人浇完树，又去挑水了。村里，地里，老人种了好多棵树苗。老人说，我就不信风沙能跑过咱。老人叨叨着，五里柳不能只有你和我啊。咱得把风沙撵走，得让房子是房子院子是院子，得让鸡飞狗跳鸟叫人闹。

一场风沙过后，五里柳又是死寂一片，树苗东倒西歪的，有的连影子也吹刮到很远的地方看不见了。村口的槐抱柳就担心，戚戚地把满身的结疤都瞪成了大大小小的眼睛寻找老人。槐抱柳担心风沙把老人也吹刮得歪倒了。沙梁上老人咯咯地笑，我的命硬着哩，不怕。

老人在沙梁上，挖了更深的树坑，把一棵棵倒了的树苗扶起来，压实，浇水。老人说，我就不信撵不走风沙，不信这树活不了。

恣肆的阳光里，老人提着铁锹，担着水桶，晃晃悠悠，晃晃悠悠地在沙梁上忙碌。

槐抱柳安心了，安安静静地没有一丝声息。老人再给老树浇水时，老树就对老人说，您也是一棵树，会走的树。老人咯咯咯咯笑得开心，粗糙的手抚着老树，说，我是树，咱都是树，五里柳要有好多的树。老树满枝头的叶子就哗哗哗哗响了起来。

然而有一天，老人没有来。太阳在天上肆无忌惮地滚着，从东滚到西，老树都没看见老人，老树的每个枝条都耷拉得没了精神。

连着好几天，老树都没看见老人的身影，没有听见老人咯咯咯咯的笑声。五里柳是座空村。老人的笑声在村子的哪个角落，就是在十里外那条细如发丝的河边，老树也能听见老人呼哧呼哧粗重的喘息。老树开始担心起来。没有老人，五里柳就真的完了。老树忧愁地想着。

夕阳给五里柳罩了一件金线银丝般的外衣时，老树看见了老人。老人晃晃悠悠地担着水，说，不服老不行了，得叫他们都回来，回来栽树。老树看着老人，满树的枝条都担心地揪扭成了一团。

第二天，老人果然唤来了四五个人。老人和这几个人回到村里。老人摘下一把猩红晶亮的大枣给这几个人吃。那是老人栽种的沙枣树上结的大枣。

老人说，好吃吧？

老人说，不能白吃，你们得帮我栽树。吃一颗枣，栽一棵树。

那些人看着沙梁上的树，说，栽树栽树。我们都栽树。把五里柳的人都唤回来栽树。

老树看见老人脸上狡黠的笑，一层一层地堆积。老人悄悄地给老树说，不急，他们会回来的。五里柳还是五里柳，你信吗？

果然，更多的人来到了五里柳。人们栽树累了，就坐在老树下，望着槐抱柳说，树老成精哩，有槐抱柳护佑着五里柳，五里柳就不会被黄沙埋了。

老树说，老人才是精哩，他是五里柳的精魂。

老人咯咯咯咯地笑着，靠着老树的槽坐了下去。

老树看见老人慢慢慢慢地坐在了它的怀里。

老树用它糙糙的却温暖的“马槽”像抱柳树一样，抱住了老人。

主人的名片

〇蒋子丹

听说我家有只十七八岁的老猫，文婷很惊讶，特地带着大狗咕噜来探望，结果把咪咪吓得钻进柜子底下根本不敢出来。看见我对猫受到惊吓倍加关注，说话都没了心思，文婷问我，大姐，你的猫是什么名贵品种呀，值得你一喂差不多二十年，还这么心疼它。

我说，这只猫什么品种都算不上，不过一只长毛土猫吧。

文婷更惊讶了，说，像你这样的人家，怎么也得弄只纯种美短或者喜马拉雅吧？

我说，品种就这么重要吗？

文婷说，当然重要。比如我们养狗的，牵着一条狗出去遛，差不多等于举着一张名片，懂行的互相一看就知道你是什么路数的。

路数指什么，是指爱养哪个品种的狗吗？我问。

文婷顿了顿，干脆挑明了说，路数就是你的阶层呗。什么阶层养什么狗呀，比方说，一个拾破烂儿的，肯定养不住一只拉布拉多；一个房地产大鳄也不会整天牵着只京叭或者柴狗。像我吧，弄条贵宾有点落套，但也犯不着花几十万上百万去买只世界冠军犬，咕噜这样的狗比较适合我，价格受得了，在中国又稀少，总被人高看一眼。

我说，这些条道道我全不懂，我只知道这只猫是我老妈留下来的。

文婷听出我们有点话不投机，顺势拐弯说，你那是另一路，属于重个性的传统派，不重品种只重感情。

我问，有重个性的现代派吗？

文婷说，当然有，有不拘品种只重嗜好。就好比现在一些小青年，爱养蜥蜴、蜘蛛、毒蛇一类叫人恶心的东西，自认为特别酷。再好比说比尔·盖茨，把客厅的一面墙做成水族馆，大白鲨都弄进去当宠物，那个牛劲无人能比。

我有点不以为然，说，真没想到，喂个宠物倒喂出这么些名堂来了。

文婷说，我不过挂一漏万而已。现在都进入盛宠时代了。这个时代的精华是宠物，因为它们的存在，世界上好多事情都在发生变化！

文婷像背书一样，滚瓜烂熟背出了一串数字，诸如全世界目前有八亿只动物被当成宠物饲养；美国人养狗总数超过了六千万只，每年花在宠物身上的钱达到三百四十亿美元；北京在册登记的狗也有五十多万只，还有不计其数的猫和无证黑狗；眼下中国藏獒在国际市场行情看涨，上等品质的一只能卖上百万，最次的也得几万块等等。因为说得快，她红润的嘴唇在白牙齿的衬托下一开一合，让那些枯燥的数字也一闪一闪，俨如家珍。

文婷用这一系列显然是有据可查的数字，证明着盛宠时代的存在。按她的说法，她本人也具备了这个时代动物爱好者的主要条件：中产白领，有教养，能给宠物提供良好而稳定的物质条件。比起在宠物秀场随便就买回一只小狗小猫的人们，她把咕噜领回家，似预先多了些关注和考量，每一项都跟时尚相关。

这种时尚包括什么阶层的人喂什么样的宠物。狗成了主人的名片，随着流行品种的变化，狗也像名片一样随时需要更换。每一只符合主人条件的狗，都可能受到优待，一旦时过境迁，也可能如弃敝屣。文婷在咕噜身上下足了工夫，她跟咕噜的亲密关系，也是我亲眼目睹。可是，在时尚和咕噜之间，文婷到底是更爱时尚还是更爱咕噜，似乎难有定论。金钱之外，时尚成为另一要素，掺杂在现代人与动物之间的关系里，同样以爱的名义出现，给人以爱的错觉。文婷是不是也在其列，自己还浑然不觉呢？

文婷让我感到了不安。我情愿她对我说，她到宠物店的时候，咕噜挤在几只刚睁开眼睛的小狗中间，一看见她就奶声奶气叫着，跌跌撞撞拱到了她的脚下。她一接触到它小小的身体，脑子里就有了一个念头——就是它了。

可惜我没有机会跟她认真讨论，文婷随丈夫查理迁居深圳，说好一直保持联系。通了几次电话之后，她就杳无音讯了。经过多方打听，她在外语学校的同事告诉我一个并不太确切的消息，咕噜在被文婷亲吻的时候，不小心咬下了她大半边嘴唇，查理带着她回国整容去了。我问起大狗咕噜的去向，那个同事说不知道。

我不由为那只可怜的狗悬起了一颗心。文婷夫妇到底会如何处理它呢？

每每回想起文婷唇红齿白为盛宠时代讴歌的样子，我心里始终存着一分侥幸：她会宽恕咕噜。

缝山针

○非　鱼

年又春是某局的助理调研员，也是个业余画家，他的写意山水在省里小有名气。

局里开党委会研究驻村扶贫工作，说市里要求必须有一名副县级干部带队，在扶贫村帮扶一年，尽快帮村民走上致富路。年又春一听说是高阳村，忙说，我去。

高阳村年又春去过。几年前他出去写生，骑一辆自行车三转两转到了一个小山村。当时正是槐花飘香的时候，漫山遍野雪白的云朵起伏着，甜腻腻的香味让年又春陶醉了。他躺在树下睡了一觉，然后支起画架，画了两幅《听槐》。临走的时候，年又春问一个放羊孩子，那孩子吸溜着鼻涕告诉他：这是高阳村。

正月十五没过，年又春就带着被褥、军大衣、煤气灶、米面油盐和两名驻村队员来到高阳村。村民们敲锣打鼓欢迎他们的到来，年又春看到寒风里热气腾腾的欢迎队伍，心一颤：一定要尽自己最大努力，帮百姓致富。

年又春从局里要来一部分扶贫资金，又借助各种关系拉来十来万赞助款，修公路、架电话线、建蓄水池。一项项帮扶工程建成了，村民脸上有笑容了，村委开会也开到他们宿舍去了，大事小事都要跟他们商量商量。

秋天到来时，山上的柿子树挂起了火红的小灯笼，年又春站在山顶上，深深呼吸着山风带来的果实成熟的香味，他又一次醉了，久违的情绪在胸膛里鼓胀。

下山的时候，年又春看见瘦瘦的高小根背了一大筐煤，他早听说高阳山上有煤，可一直没顾上详细问。他叫住高小根，要看看他筐里的煤。高小根说这煤是无烟煤，好烧。山上不少，也不深，有时候找准了几镢头下去就能看到黑煤。

年又春一听立即兴奋了。这么好的资源，村里怎么就不知道开发呢?要开发出来，村民不早富了，还用他们来扶贫？年又春一回村就把村委会主任叫来，问他煤的事。主任说早就想开发，但村里没钱，投资不起。找市煤炭局的一个技术员来看过，他说都是“鸡窝矿”。年又春问他啥叫“鸡窝矿”，主任说就是矿床太小，一小片一小片，跟鸡窝一样。年又春一听沉下脸，“鸡窝矿”也是矿啊，怎么着也能给老百姓带来财富不是。村主任一听忙点头说，是，是，是。

于是，高阳村的煤矿开挖了。没钱，招外地的人来投资，村委会账上的钱慢慢多了，村民下窑挖煤，每天也可以挣几十块钱。高阳村热闹起来了，轰隆隆的汽车、拖拉机从年又春帮忙铺设的公路上开进来又开出去，一车车煤挖出来又拉走，换成了钱。第二年春天到来时，一些村民家里开始准备盖新房，谁见了年又春都双手拉着他说感谢啊，感谢你。

年又春是喝完高小根的喜酒才离开高阳村的。高小根在矿上挣了钱，买了辆三轮摩托，还从山外娶回一个漂亮媳妇儿。年又春借着酒劲儿说：新娘子长得好看，回头给我当模特儿。高小根乐得直搓手，不停地说：喝酒，喝酒。

年又春的扶贫工作结束了，在全市召开的表彰会上，年又春做典型发言，他声情并茂，会场上好多人都在悄悄擦眼泪。

年又春一年多后翻看他的获奖作品《听槐》时想起了高阳村，他对高阳村的深厚情感被一下勾了起来。

到高阳村去！年又春带上司机立即出发。

暮秋时节，风很劲，一路上枯黄的叶子在车前翻卷飞舞，车轮带起的小石子儿敲打着车窗车门，发出清脆的响声。

停，快停下。年又春看见高小根了。司机停下车，年又春下车叫高小根，高小根迟疑了一下才认出是他，忙过来拉着年又春的手说：年局长来了，大家一直念叨你呢。年又春叫高小根一起坐上车回村，高小根说不了，他得上坟去。年又春忙问：谁不在了？高小根苦笑一下：媳妇儿。8月份下大雨，她从山上下来，一个挖过的废煤矿突然塌了，媳妇儿一下陷了进去，肚子里还有五个月大的孩子。

年又春惊呆了，怎么会这样？他沉默了一会儿说，我们一起去。年又春和高小根一起慢慢朝山上走，年又春越走越心惊：满目疮痍！他只能用这个词来形容他所看到的。到处是挖过的和正在挖的小煤窑洞，废弃的煤矸石。曾经茂密的树林，现在不剩几棵树了，孤单地守着快速苍老的高阳山。

年又春在高小根媳妇儿的坟前跪了下去：都是我的错。

高小根忙拉起年又春：年局长，你是我们的致富大救星，是她命不好，赶上了，怎么能赖你呢？

年又春没有勇气走进高阳村，他匆忙赶了回去。

三个月后，市里禁止小煤窑开采的通知下来了，一件由年又春设计的巨型雕塑也从省城运到了市里，又被运到高阳村，是年又春自己掏钱制作的。

那是一根笔直的闪亮的金属大针，足有十来米高，固定在一个底座上，在太阳下发出耀眼的光芒。

年又春给这个雕塑取名字叫：缝山针。

我新搬的这个楼

○阿　成

我新搬的这个楼，在街角，也有一家小铺。现在的小铺，装饰得要讲究一些。橱窗中有霓虹灯，组成“点心糖果”、“各种罐头”、“白酒啤酒”。天一擦黑，红红绿绿地一闪一闪，非常喜兴，也很好看。

我常去这家小铺换啤酒，或者买方便面，或者酱油、醋。手头宽裕些也给孩子顺便买点烤鱼片之类。日子久了，常去那里的人，也就熟识了。

一位穿警服的中年人，常把他的警备摩托车，停在小铺的外面。人在铺子里，要一瓶啤酒，身子倚着柜台，对嘴喝。不少的哈尔滨人，都喜欢这么嘴对嘴地喝啤酒。可能是受了俄国人的影响。当年在哈尔滨旅居的俄国人，大都是这样的喝法。

这位警察喝得很慢。门一响，有顾客进来了，或是换啤酒或是打酱油，这位警察把啤酒放在柜台上，帮着换啤酒，或是打酱油。类似我这样的中年人进来（中年人买东西，略略有点犹豫不决），哈下腰，眼睛仔细地瞅玻璃柜里的五香豆腐卷儿、红肠，不知它们可不可靠，是不是赝品。这位警察便在一旁替老板说话：“红肠还是不错。味道正，是道外肉联厂的。”中年人听了，就不好意思不买了。

这位警察，也就是四十岁。听说他的家就在附近的某一幢楼里。他常来这儿，其实就是没事儿。偶尔与老板说些街面上的话：哪儿哪儿杀人啦，怎么回事怎么回事，怎么杀的，为什么杀；哪儿哪儿失火了，怎么失的火，已经抓谁抓谁啦。门一响，来顾客了，马上不聊了，干正经事。顾客买完东西走了，警察话题也可能就转了：

“你说今年冷得晚，是不是?”

“是。”

“去年这工夫，橱窗的玻璃都结厚霜了。”

“太对了。”

说着，老板还要叹一声。老板的老伴儿刚死了一年，是癌症。他的那位已经出嫁了的女儿，这些日子，常过来，帮他做做饭。他显得有些孤独。

天很晚了，那位警察把啤酒放在柜台上，笑晃晃地，说“走”，就走了。老板看着他被乍起的西北风吹响了的背，自言自语了：“人是好人哪，就是老婆不争气……”

另一位常去这家小铺的，是一位有五十岁光景的、戴着一副旧眼镜的工人。他的个子不高。总是醉一张脸。面皮粗糙。他的白酒瓶子，就存在小铺里。门一响，他进来了，老板就把他的酒瓶，从那个地方取下来，拿过一只玻璃杯，给他斟一杯。他胁肩一笑，很下贱的样子。然后，仰脖子，喉头上下滑动几次，把酒喝了。喝了，平了眼睛，见老板已伏在柜台上，是一副打瞌睡的样子，酒瓶子已不见了。便兀自搓手笑笑，样子好像很羞，也好像马上离开不太好。搓过了，羞过了，门一响，终是走了。

他一走，老板便睁开眼皮，对我说：“他的字写得好。就是见酒不要命！偏偏老伴儿又泼……”说过了，老板脸上好愁好愁，似乎掉到另一情景里去了。

我便默默地走了。又回身替他严了门。天冷了，人的心绪不好，是怕冷的。

夜很深了。一街的楼房，全熄灯了。只有小铺的灯，还亮着。天这么晚，已经没有人去小铺了——老板怎么不早一点歇下呢?

让妹妹好好读书

〇乔　迁

要去桂林，在北京西站候车。

离发车还有一段时间，便买了一张报纸翻读。正读得津津有味，一阵细弱的歌声飘进耳中，忍不住抬头寻找，是不远处一个与我女儿一般大小的小女孩在唱歌。我原以为也是随同父母出行的孩子，因憋闷无趣而歌唱的，细细一看，发现并不是，唱歌的小女孩是在用歌声向旅客乞讨呢，正在一位看书的旅客面前吟唱乞讨。小女孩是南方口音，我这个很少南行的北方人听不大懂，但大致听得出是一支祝福的歌。然而，小女孩略显凄婉的祝福歌并没有打动看书的旅客，看书的旅客仿佛全身心沉浸在了书中，没有听见小女孩的歌声似的。周围的旅客近乎麻木地望着歌唱的小女孩，麻木得连谴责看书旅客和同情小女孩的目光都没有。

小女孩的祝福歌唱完了，并没有得到什么回报，看书的旅客连头都没有抬一下。小女孩沉默了一会儿，殷切的目光不情愿地离开了看书旅客，寻找下一个她认为可以有所收获的旅客。看书旅客身边的旅客们慌忙地低了头或扭了脸，避开了小女孩的目光，有两个旅客甚至起身走开了。

我把手伸进兜里，摸到了一张十元的钞票，等待着小女孩朝我走过来。我总是被乞丐瞄上，无论在车站还是大街上。我不是个有钱人，但我肥胖的身躯使我看起来像个有钱人似的。另有一个重要的原因是，我长得十分面善，乞讨者是喜欢向面善之人乞讨的。而面善的我，每每遇到乞讨的人，或多或少都要施舍一点的，不施舍就觉得对不住自己的一副和善的面孔似的。可一次施舍十元钱，在我施舍的历程中还是绝无仅有的。但这次我决定给这个小女孩十元钱，不因为别的，就因为她跟我的女儿一般大，正应该在父母的身边撒撒娇，穿着漂亮衣服去上学，而不是身上的紫花布衫脏脏的，在这里向人歌唱乞讨。她的父母可能在某个角落里隐藏着，远远地注视着他们的女儿，等待着小女孩得到旅客施舍的钱后欣喜若狂地交给他们。

小女孩在看书旅客的无动于衷中失望地移开了脚步，目光充满希望地寻找下一个可以乞讨的目标。虽然我想到了小女孩会选中我，但当她的目光落在我身上时，我的心里还是咯噔了一下，有些害怕她向我走过来。我知道自己害怕的不是小女孩，而是其他旅客的目光，他们会在我给小女孩钱后，目光疑问、不解、嘲笑甚至谴责地投射于我，而不是赞赏我。向人乞讨的行为是不被社会推崇和赞赏的，如此，被乞讨的人也不会被赞赏和推崇。

小女孩满怀希望地向我走过来了，她的目光从刚才的失望迅速地又充满希望而炯炯有神，我甚至能感受到她因满怀希望而喷发出来的热热的气息。我捏住了十元钞票，准备在她来到我面前时，在她开口歌唱祝福我时赶快送给她，让她的希望不再变成失望，让她的脸上露出意外的惊喜。

我已看得见小女孩的瞳孔里我微笑的脸，小女孩已与我近在咫尺了。

就在小女孩来到我的面前停住脚步，满脸期望要开口歌唱时，始终在我身后低头玩耍的女儿突然跳了出来，跳到我的面前，扑到我的身上，伸手搂住了我的脖子，目光惊奇地望着站在眼前的小女孩。我看见小女孩脸上浓浓的希望瞬间飞散破碎，随即腾起一股复杂的慌乱。迟疑了半分钟，小女孩突然转过身，飞快地向候车室外跑去。

我连忙放下女儿，快步向候车室外撵去。我不想让一个同我女儿一般大的乞讨的孩子一无所获，虽然十元钱并不能改变她的现状，但我还是应该让她感到希望的存在。一股悲凉的东西从我的心里流淌出来，我知道小女孩突然跑去，一定是被我女儿缠绕我的幸福痛击了一下——她毕竟还只是个孩子啊！

在候车室外撵上小女孩，我紧紧拉住小女孩的手，把钱塞到她的手中。小女孩望着我，双眼瞬间盈满了泪水，猛然把我塞到她手中的钱又塞回我的手中，对我说了一句话，转身跑掉了，很快消失在熙熙攘攘的人群中。

我虽然听不大懂小女孩的方言，但小女孩把钱又塞回我手中时说的那句话我听懂了，小女孩说：叔叔，我不要，让妹妹好好读书。

泪水顷刻间蒙住了我的眼睛，一个穿着紫花布衫的小女孩，在我迷蒙的目光中唱着祝福的歌，像风筝一样地飘上了天空。

回到候车室，我把女儿搂在怀里，我说：女儿，好好读书。

有人晒就有人伤

○蒋方舟

昨天我在机场候机厅，班机延误，我旁边的中年男子开始低声发牢骚，好半天我才明白他在跟我说话，我胡乱回应了几句，那人忽然大受鼓舞，砰然撂倒他的大行李箱，翻箱倒柜撒了一地衣服裤子，找到个埋藏在最底下的公文包，再打开取出一个小包，翻出一个相机。他满头大汗，亢奋欣喜地潮红着一张脸，开始给我看他的照片：他在郊区的房子前举V字，他在亲戚的、邻居的车前举V字，他在东方明珠前举V字，他在机场举V字，他在金钱豹自助餐的餐桌上对着满桌残骸举V字……

一共一千多张照片，大概涵盖了他近十年生活里每个惬意自得、羡煞旁人的时刻。我也不记得自己说了什么招来此祸，让他以为我对他的生活很感兴趣。我心想这真是一个怪人，简直有暴露狂，引吭高歌自己每个能得瑟的片段。

"机场V字男"的方式只不过密集和拙劣了些，企图在一分钟之内把憋足的旅游展览项目以快进方式播放完。可是仔细一想，我发现我们其实每天都在被迫窥视他人的生活。更多的时候，我们是不知不觉地成了手拿望远镜偷窥对面窗户的人，在不自知的情况下，被迫评论，被迫赞颂，被迫羡慕忌恨。每个日出的时候，都有被他人晒生活所伤的受害者，在某个黑暗的角落咬牙切齿，恨到吐血。

比如，放假的时候，我回了家。我们家万年如一地没有变化，我每天在狭小的家具中打转，惶惶不可终日，无助如过街老鼠。我生活得越是黯淡萎缩，对他人的生活就越是感兴趣，总是疑心此时别人的生活比我好、别人的日子比我多彩，形同受虐。我忍不住登上校内网，看同学的空间贴出的照片。看他们出国旅游、购物败家、吃西餐中餐，看他们晒朋友、晒家人、晒小狗、晒包包、晒阳台上的葡萄架……渐渐地，我的晒伤点变得很低。起初，只有出国的同学让我自惭形秽，到了后来，看到别人一脸幸福状地吃甜品都把我刺激得不行，半天才能缓过劲来。

过大部分人过不了的生活，这本来是明星们区分于一般人的特征，来自他人的崇拜是他们赖以为生的养料。可是现在，普通人靠博客、靠播客、靠微博、靠网络相册……靠有意无意地晒自己，也能用优越感搭起高高的阶梯，伤人于无形。

我越来越觉得，自己的生活拿不出手，晒无可晒。本来想晒晒淘宝里买的新衣服，但手机里可怜的自拍，总是在宿舍阳台上不干净的镜子前完成，身边环绕着脸盆、扫帚、鞋架、半个拖箱以及未关进箱子的衣服一角……这样一想，我们的生活进入一种十分变态的网络新纪元，那就是穷困潦倒、晒无可晒之人，只好选择遁形。我们的生活是由一派奢华和光鲜亮丽组成的虚幻世界。

无论是炫耀着晒生活的人，还是去窥视他人生活的人，驱动力都来自本能里恶劣的一部分。劣根才能使人上瘾。于是我们无法自拔地陷入“一个愿打，一个愿挨”的境地。

古代传说里有种梦貘，靠吞食人的梦境为生。而现代，新的物种已经生活，生命的动力来自吞食他人的生活。

壁花了一一

○田双伶

了一一在大学时就当了几年的壁花小姐，所以这次老同学聚会她实在是不想去。

在大学里的舞会上，她内心所隐藏的美丽感觉只有在角落里黯然落寞地绽放。说真的，了一一那时很为自己自卑，瘦小的身体似乎发育不全，眉眼里不见一点女孩子的妩媚和娇美，服装也几乎是看不出款式的。

但这有什么可自卑的？如今她是大学政治教育系马列主义哲学原理研究生，法学硕士，某高校马克思主义理论专业讲师。街头那些女孩子漂亮，熟谙化妆技巧、服装搭配艺术和发型流行趋势，可她们知道苏格拉底和柏拉图吗？懂得否定之否定和螺旋式上升吗？了一一这样想着，没有化妆的脸上顿时无比灿烂。她素面朝天高傲地走出门，去了世界 3 酒吧。

在酒吧的一个大包间里，早到的一帮子同学已喝得有些醉意，仍像学生时代一样笑着闹着。有几个热情地和了一一打招呼，并未显露出许久未见的喜悦，就像学校里平常的一次周末舞会。几个男同学仍是众星捧月般围着那朵美丽的校花献殷勤，而校花却和另外几个女同学在眉飞色舞地交谈着时尚服装和美食，故意不理会他们。

这样的话题了一一是插不上嘴的。了一一已习惯了被冷落，她知道自己的强项和弱势，公众场合她都退到不起眼的地方。但此时，不可能退到图书馆和教室去，她知趣地坐在角落里，重做一朵孤零零的壁花，在墙角寂寞绽放，孤芳而不自赏。

喝得都差不多晕忽忽的时候，学友们开始跳舞。了一一自知没人请她，悄然走出包间，在灯光昏暗的角落坐了下来，向服务生点了一杯红酒。

灯光迷离中，她看见邻座一位男士也点了什么。了一一漫不经心地看着酒吧有情调的装修，服务生端了两杯酒送过来就走了。那人刚要喝，闻了一下，朝了一一举举杯子，示意她杯子放错了。两人把杯子换了过来，举杯相视一笑，就这么聊了起来。

从酒吧的设计风格谈起了十八世纪欧洲建筑史，美国政治经济情况……他们起初小心翼翼地啜饮着，交谈中不时碰撞出思想的火花来，很快化解了刚才的陌生。

他忽然轻声说，你真是一个有思想有格调的女子，美丽的女子加上美丽的思想就是上帝最满意的作品。

了一一心里柔柔地颤了一下。她掩饰住脸上的一丝慌乱，起身去了洗手间，对着镜子仔细端详自己，喝过红酒后面色很是红润。自己委实貌不出众，但神情端庄，不是漂亮不漂亮所能概括的。张爱玲说过，有美的身体，以身体悦人；有美的思想，靠思想悦人。了一一有着女孩子不多的才情和智慧，那些女孩子怎么可以和自己比呢。她们的思想，浅得只能淹没她的脚面。

了一一再坐回去时心里就有了几分羞怯。朦胧的灯光里了一一看到他眼睛里闪烁的光泽。从来没有男士如此深情地凝视过自己。她渴望他就这么一直望下去，把她望成一朵不胜凉风的娇羞的水莲花。

忽然了一一惭愧起来，今天怎么可以穿一套灰色的正装呢？这身衣服一定把自己衬托得像条板正的数学定律。面对目光深情的男士，自己应该幻化成一句生动美妙的诗。可自己除了几套正装又能穿什么？

一位女服务生端着水果拼盘袅袅婷婷地从他们身旁走过，他侧脸追随着她的身影，了一一也随着他侧脸的方向望去，就像欣赏一幅画。回过头，他们相视一笑。

了一一的酒杯快见底儿了。红酒再好喝，也不能一直喝下去吧？了一一已看到几个学友在握手道别。

但他闲闲淡淡地说起别的话题。当然没关系，了一一有足够的耐心倾听。

了一一看到身旁墙壁上贴着两朵好看的玫瑰花，她很天真地伸手去抚摩，却原来是个按钮。灯光刷地一下子亮了，强烈的灯光映照着两张惊讶的面孔。了一一突然觉得自己像一条太阳曝晒下的蚯蚓，她内心那些美丽的思想顿时苍白无比。

两个人忽然就不知所措起来。

那人清了一下嗓子很快镇定下来，微笑地望着了一一说，你的人就像你的思想一样，很朴素。那，以后我有空了请你出来坐坐好吗？

好啊，好啊。了一一心里急切地答应着，但还是克制住了那份急切，矜持而优雅地点了点头。

他很优雅地让服务员拿了一张纸，潇洒地写上自己的名字和联系方式。了一一细心地收了。

了一一回到家一遍遍地回放着和他对视的感觉，还有在他的目光中含羞啜饮红酒的感觉，做梦一样。了一一想：等他有空了，该去哪里？又该喝点儿什么呢？红酒，咖啡，还是茶？

可了一一再也没有等到他有空。

一天下午，了一一取出那张纸条，想和他联系。当她的目光落在潇洒的字迹上，却惊奇地发现，他写的字龙飞凤舞的，确实潇洒，但根本就辨认不清。

从下午到深夜，了一一把自己关在房间里，用五颜六色的彩纸剪扎成小花，一朵朵贴在房间的墙壁上，然后把书架上所有的书都装进箱子里。

了——双手叉腰看着空空的书架和满墙壁的小花朵，深沉地思考着。作为一位唯物主义论者，她的生活里缺乏太多物质的东西。这些物质对她来说，就是即将摆满书架的香水面膜精华素和美体霜，当然还有衣橱里美丽的时尚服装。

打　赌

○陈国炯

焦雨是徒步来到旮旯村的。他到旮旯村时已近中午。那天阳光明媚，太阳暖暖柔柔地抚摸着蜷缩在旮旯村那块麻石板上的石老头儿和蒋老头儿。

焦雨站在两位老人面前时，两位老人没有发觉，只顾脖粗脸红地争论着什么，一个说变大了，另一个说没有变。

焦雨故意咳嗽一声，然后温和地说：老人家，晒太阳？这时两位老人才发觉了来客。

石老头儿有些责怪自己也嗔怪蒋老头儿似的说：你看你，这么个年轻人站在前面都没有发觉，只知道争。

蒋老头儿不去理会石老头儿的茬儿，问焦雨：你有什么事找我们？

焦雨说：没啥事，就随便走走。

石老头儿很警惕地问：你是谁，干什么的？

焦雨微微一笑，问：你俩说我像是干什么的？

蒋老头儿抢先说：你不会是干部，一点儿都不像。

蒋老头儿又接着说：是啊是啊，你身上穿夹克衫，脚上穿球鞋，又是一个人走来的，不像，一点儿不像。

石老头儿又接着说：来了也不去村主任家，你肯定不会是干部，但你戴着副眼镜，好像是个读书人。哎，你不会是作家吧？

蒋老头儿说：说不定是哪个工厂的技术师傅。

石老头儿说：反正是个城里人。

两个老头儿又开始争起来了，争着争着蒋老头儿忽然想到焦雨刚到时他们争论的那个话题了。

蒋老头儿说：哎，石老头儿，刚才我们两人谁也说服不了谁，这位年轻人一看就是有知识的人，又从城里来，他肯定比我们懂，请他给我们评评谁对谁错。

石老头儿也显得很兴奋地说：对，我们两个人说了都不算，这位年轻人说了算。

焦雨看着两位老人，忙问：你们在说什么对不对呀？

蒋老头儿说：我们在争论中国的疆域有多大。

石老头儿说：我说是960万平方公里，可蒋老头儿说现在不止这个数了，至少扩大几百倍上千倍了，我看他简直是老糊涂了。

蒋老头儿说：石老头儿就是个花岗石的脑袋，死脑筋不会算了，只认一个死理。

两个老头儿又开始争起来，婆说婆有理，公说公有理。

焦雨觉得蒋老头儿的说法很荒唐，他说：两位老人家别争了。

两位老人突然安静下来。焦雨想知道蒋老头儿的推理方法，就问：蒋老伯，你说中国的疆域大了几百倍、上千倍，你是怎么算出来的？

蒋老头儿一听焦雨先问他的理由，很高兴，他认为焦雨是赞成他的观点了，就说：以前乡里的书记、乡长他们每个月都要来咱们村里好几次，来时是骑自行车来的，来了就到田里去转转，稻、麦有病帮我们治病，帮我们想办法如何提高产量，如何搞副业多挣钱。可现在听说乡里小乌龟车买了好几辆，却半年见不到一次面，好不容易见了一次，到我们村时已经是吃饭的时候了，村主任刚刚陪他们吃完饭，他们就要走了，村主任挽留他们，他们就说忙，小乌龟车一溜烟跑了。

蒋老头儿咽一口唾沫接着说：一个乡还是那么几个村，你说乡长他们坐着这么快的乌龟车，一年来那么一次还说忙，你说是不是土地变大了，乡政府到我们村的路越来越远了？

焦雨听了目瞪口呆，面红耳赤，连石老头儿也哑口无言。

这时只见一个孩子来叫蒋老头儿吃中饭，几个人才醒悟过来，重新活泛开来。蒋老头儿说：年轻人，中午了，去我家吃个便饭怎么样？还有你石老头儿，也去作个陪。

焦雨一点儿没有推托和客气，说：那给您老添麻烦了。

蒋老头儿说：不麻烦，不麻烦，便饭还是有的，只要你不嫌弃。

菜是家常菜，青菜萝卜、咸菜鸡蛋，但清香可口。焦雨吃了一碗后又添了一碗，蒋老头儿见了很满意，说焦雨实在，没有像有些城里人那样摆谱。

焦雨告别蒋老头儿他们时，掏出 10 元钱做饭钱，蒋老头儿说啥也不肯收。焦雨说：这是规矩。蒋老头儿就不高兴了。在一旁的石老头儿说：现在看来你更不像干部了。

焦雨又一愣，问：怎么讲？石老头儿说：干部吃饭从不付钱，屁股一拍走人。

焦雨走时紧紧握住两位老人的手，他说：中国的土地还是 960 万平方公里，没有变，也永远不会变，请你们放心。

几天后的晚上，两位老人挤在一起看地方电视新闻，荧屏上出现了焦雨的镜头，焦雨在作《转变干部思想观念、服务意识、工作作风》的报告。两位老头儿惊得嘴都合不拢——这年轻人原来是刚上任的县委书记。

石老头儿忽然像得胜的将军般对蒋老头儿说：我说中国的土地没变，你还不信。

蒋老头儿长长地吁出口气，说，我输了。接着十分自信地说：看来的确没有变。不变最好啊。

无金日

〇刘心武

这是一个典型的4－2－1家庭。两对退休的老人，一对中年夫妇，一个他们共同的宝贝疙瘩——初中二年级女生蕊蕊。从去年起，他们在一年的三个黄金周里，总要抽出一天来聚会，并且规定出很独特的主题。比如去年的三次聚会的主题分别是：无车日、无电视日、无电话日。无车日那天，七个人一起步行去美术馆看展览，来回大约八公里。虽然四位老人里有三位笑责蕊蕊步伐太快，突进到前面扭头笑蹦又倒回来搀扶未免添乱，大家到头来非常开心。无电视日那天坚持不看电视，电脑也不打开，广播也不听，蕊蕊连MP3也搁进抽屉，于是有的看书，有的下棋，有的剪纸，有的琢磨食谱，蕊蕊则写成一首诗，晚餐后得意地朗诵给大家听。无电话日那天，最憋闷的是蕊蕊，一直到中午以前，她还不时撅着嘴问：不煲电话粥，发短信也不行吗？第二天，虽然有人来问："昨天你们家电话怎么打不通，手机总关机?"但也真并没耽误了什么事，而蕊蕊第二天读自己头天长长的日记，读到末尾一句"原来人除了跟别人交流，还应该腾出时间来跟自己交流啊"，不禁捧腮良久。

最近这个黄金周的第六天，他们是在蕊蕊姥爷姥姥家聚的，这天被确定为无金日。黄金周，黄金周，人们叫惯了，不以为怪，习以为常。其实，黄金周以外，又有哪天人们避免得了金钱方面的消息呢？聚会前的日子里，蕊蕊的爷爷跟姥爷在电话里有所争论。争论是蕊蕊一句话引起的，她问的是“炒股是不是劳动？股民算不算劳动者？劳动节是不是股民的节日？”结果，两位老爷子想法不能统一，一个说“炒股是合法投机”，一个说“好多小股民是退休或下岗的职工，他们付出的身心代价巨大，也是在为国家的经济发展添砖加瓦，本质当然还属于辛勤劳动的劳动者”；奶奶、姥姥对两位老头儿的争论不感兴趣，她们议论报纸上刊登的抓捕绑架者的消息，搞绑架的，图的还不就是钱？爸爸妈妈小声计算着什么，蕊蕊走开不听，心里却明白，是在计算自己家的这套房子还贷还差多少，当然，也涉及到他们那辆桑塔纳轿车耗油的问题。蕊蕊对大家欢聚“今天不谈金”这一主题非常喜欢。她问：那么，咱们聊什么呀？

爷爷说，建议大家回想，想出咱们之间，那些美丽的瞬间——跟挣钱、花钱无关的瞬间。姥姥说，好好好，像生日送礼呀，一起旅游呀，拍婚纱照呀，都不算，因为里头还是“含金”。妈妈说，我愿意好好想想，可是，我建议，别跟时下电视节目那样，动不动发射催泪弹，我平日上班太累了，不想流泪，想笑，特别想甜蜜地微笑。

没想到蕊蕊爸爸打了头炮。他说，那时候蕊蕊只有三岁，我记得有一天我们三口子上街，挤公共汽车，我把她和她妈都推上去了，自己却掉在了车外，后来的两辆我也没挤上去，最后我终于挤上去了，也总算摇晃到了咱们要去的那一站。我下了车，就看见蕊蕊她妈正牵着她，在车站后头痴痴地等我，蕊蕊发现了我，她先把一只腿使劲一顿，然后双脚跳起，拍起手来，双眼闪出我没法子形容的光芒，那真是美丽的一瞬——她在许许多多的人里面挑出了我来，表达她那失而复得的一派天真的快乐，哎，就在那一瞬间，我深深地意识到，这两个女人，这一对母女，她们跟我，在这人世间确实建立了一种与众不同的关系，我必须跟她们很好地在人生的路上跋涉下去……

蕊蕊妈妈微笑了，可是她坦诚地说她一点也不记得那个瞬间。她说她想到了那一年那一晚，她正在洗澡，突然停电，吓坏了，满身肥皂沫没冲掉，极其狼狈，可是，没等她叫出声来，蕊蕊爸爸就冲进了浴室，手里举着飘火苗的打火机，跟她说：“有我呢！你别动，我再去点蜡烛！”她说，那举着打火机的人，那张半明半暗的脸，是刻在她心底里的美丽一瞬。

奶奶说，那次在餐馆吃饭，我也不知道蕊蕊爸妈两口子是为什么，我一瞥之间，正巧看见他们俩挤鼻子咧嘴巴，是那种小孩子忘我逗趣的表情，他们都那么大了，当个白领挣得不算少，可每天累得够戗，各自在公司里那社会人际关系也应付得心力交瘁，可是在能松弛下来的时候，呈现出那么样的一派童心。我觉得，那是美丽一瞬！蕊蕊就嚷：咦，我怎么没瞧见呀？

他们还陆续回忆出了更多的与金钱无关的美丽一瞬……

那个“无金日”，蕊蕊躺进被窝后还在回味。道是无金却有金啊！她后来睡得很甜蜜，因为她意识到自己的幸运——能受到这样的熏陶。

纽约人在北京

〇女　真

陈小刚是我朋友，人家现在是纽约人了，拿绿卡的。

几年前陈小刚开始张罗办移民时，除了他老婆和儿子，他的老父老母、亲戚朋友，没有不反对的。反对的理由多着呢，以陈小刚身高1．65米、体重50公斤的小体格，让他上美国去打工，累死他也养不活老婆孩子。他老婆吴晶晶，初中刚毕业，要文化没文化，要长相没长相，光有个泼劲儿，能顶饭吃？儿子陈冬，职高没毕业呢，学习很一般。关键是，陈小刚的英语连一般小学生的水平都没有，到了美国，连话都不通，他怎么活下去啊？

大家的一致反对，对陈小刚根本就不起作用。这小子身上有一股子不服输的劲儿，只要他认为哪件事好，值得去做，就一定要把这事儿办成了不可。想当年，他在农村种地，不正经种田，连饭都吃不饱，可他写诗，而且专门写那种给小孩子看的诗。因为儿童诗写得好，他被调到市文化馆当了国家干部。他身上有那么股一条道走到黑的劲头。陈小刚把家里的两室房子卖了六万块钱，交到北京的一家律师事务所，办移民手续去了。我曾经问过他："小刚，万一手续办不下来，那钱能还你吗？"

陈小刚一脸的不屑："还什么还？人家给你办事用了，你还让人家还哪？"

我还想说那万一真要是办不成，六万块钱不就打水漂了？可一想无数人都这样劝过他，一点儿用都没有，干脆也就不费口舌了。

出乎所有人的意料，陈小刚的移民还真就办成了。一家三口，一共花了十万块钱。陈小刚办的是技术移民，以一个诗人的身份去的美国。大家已经知道，我的朋友陈小刚是个诗人，主要写儿童诗，他的诗歌曾经入选过小学课本。不过，在朋友圈子里，大家对他的儿童诗一直不以为然。顺口溜、打油诗的那一类玩意儿，在文人圈里，是上不了大雅之堂的。大家想不明白的是，美国人挺精明的，怎么到了陈小刚这儿，就这么好唬了？

不管怎么说，陈小刚一家三口算是移民了。他们去的地方是纽约，皇后区。陈小刚以前认识的一个朋友，在那儿帮他们租了一间地下室。也就是说，到了纽约，他们马上就有了落脚的地方。

陈小刚一到纽约，就给我们一帮朋友打了报平安的电话，然后，有半年的时间，他都没消息。再接到他电话时，却说他正在北京。问他在干什么，他说："一个朋友投资的电视剧，求到我头上了，我给他们写电视剧。"

过了一段时间，大概是电视剧写完了，陈小刚坐火车回了一趟老家，把一帮朋友请到一起吃饭。两瓶啤酒下肚，他开始诉苦："妈的，我原来以为老婆孩子会不适应美国的生活，我自己不会有什么问题，没想到，人家娘儿俩适应得挺快，倒是我现在还像梦游一样。我老婆，给一个华人老太太当保姆，一个月一千美金，人家给现金，不用上税的，给她乐的，说现在一个月挣得比她过去一年挣得都多。好家伙，对老太太那个好啊，我看比她亲妈都好。我老婆是准备在美国扎根了，一个礼拜休息一天，根本就不在家待着，去教堂学英语。还有我儿子，高中毕业了，正上语言学校呢。这小子喜欢电脑，说了，将来上一个公立的大学，不用我供他。反倒是我，总觉着自己在那边是好几等的公民，上餐馆不会点菜，走街上畏畏缩缩的，像个准备挨打的耗子似的。我在纽约待了半年，你说我什么活儿没干过吧，给华人老板扛铝合金的窗户，给超市包韭菜盒子，给快餐店送外卖，干哪样我都觉着屈得慌。咱在国内，好歹也当过文化馆的干部啊，最起码也算知识分子吧，在那边我天天干这个，哪有出头的希望啊？别说我一时半会儿学不会英语，就算学会了，我也不敢说自己就能用英文写诗啊。再说，在纽约写诗，也不可能养活自己和老婆孩子啊！我已经想好了，他娘俩儿在那边能养活自己就行，以后哇，我还得回来发展。”

那天晚上，陈小刚喝高了，本来说他请客，可看他走路打晃的那个样儿，谁还好意思让他掏腰包，自有人结了账。让人生气的是，这小子不买单，却知道掏出十块钱给服务员小费。咱们这儿是小地方，又不是什么上档次的大饭店，那十块钱小费，把服务员都弄愣了，老半天没敢伸手接。

现在，我们这帮朋友谁要是上北京的话，可以去陈小刚那儿混吃喝了。这小子在顺义租了一套两居室，就算长驻北京了。他现在是多面手，什么都写：儿童诗、电视剧、通俗小说，甚至还给一个名演员当枪手写过自传。一句话，只要给钱就行。

当然，为了保证到北京肯定能找到他，不至于落空，事先我们得给他打招呼，看看他在不在。人家现在是两栖人，除了在北京发展，每年还得去美国住上一阵子。

绿色女子

〇郭凯冰

“Green girl！ Green girl！”来自美国的学者兼画家麦克教授这么说着的时候，一脸陶醉激赏。

大学生林菜花当然是一个绿色女子，她来自大山，据说下车要徒步走十几个小时才能到家。一路上，树木森森，人都要染绿了。当然，麦克教授说林菜花是绿色女子不指这个。

麦克教授和我都是入学那天在校门口见识了林菜花。我随着人流往里走，就在我扭头张望两棵国槐下的名人像时，身后响起两声肆无忌惮的大喊：“你等等，你等等！”我跟走在我前面所有听到这话的人都回了头，就看到背着家织布包袱，穿件家织布上衣，后脑勺扎两根高高翘翘辫的女孩子，跌跌撞撞从眼前拨开人群往前闯，直到一个穿着绿裙子的女孩子面前，站定，盯着人家的衣服看一阵，说：妈呀，就是这件裙子！

妈呀，还有这么土气的女子，这么土气的女子还能这么肆无忌惮，真是开眼。我把名人像忘了，眼睛跟着林菜花走了好一阵。等我敲开宿舍门，这个土气的人已经将床铺铺好，同时将几暖瓶热水摆在了窗台下。

这身行头让林菜花撞了好运。学校刚聘来的麦克教授一眼相中林菜花做他的模特，每周日上午三个小时，每小时七美元。

第一次做模特，林菜花很难为情。一连几个小时，被一个男人盯着，林菜花的眼睫毛轻轻颤着，一脸红晕。麦克教授激动地直喊：“Very good！

Very good!”他已经很多年没有见过如此自然娇羞的女子了。“密斯林，你比很多中国女子纯洁朴实，你是个‘Green girl’!”教授朝着林菜花，竖起了大拇指。

林菜花得到第一笔钱的时候，手哆嗦得拿捏不住。她露出一口白牙，说：“教授，我从来没有挣过这么多钱，我高兴得心要跳出来了!”麦克说：“密斯林，我喜欢你的坦率!”

林菜花回到宿舍，给我们一人买了一袋妙脆角。杨雅撇撇嘴：“三七二十一，二十一乘以八。哎呀，林菜花，亏你赚的是美元，要是人民币，我们是不是每人一块水果糖。”我们觉得林菜花一定恼了，赶紧打圆场。谁知林菜花根本没在意，她小心翼翼撕开袋子，送一颗到嘴里，抿起嘴唇，细细咂巴一下说：“原来这东西这么好吃！你还不知足，我可是到了高中才知道这东西，到现在才第一次尝到。真香啊!”她一边陶醉，一边将食指放进嘴巴，吧唧吧唧吸吮好几下。

我们还能说什么呢，我们本来都要忍住笑，可是谁也没忍住，笑得稀里哗啦。杨雅跑上前，用手捏着林菜花的腮帮子说，耶，林菜花，我突然很喜欢你，很喜欢你啊!

第二天下午，我们宿舍全体旷课，去给林菜花买裙子。林菜花说，我一上高中就发誓，一定要用挣到的第一笔钱买件裙子，一件绿裙子。为什么是绿裙子呢，我们一起问。她眉飞色舞地说，我喜欢的第一个男孩，他的女朋友，就是穿一件绿裙子啊，好看死人啦！我们瞪着林菜花，那个男孩子对你有意思吗？林菜花眉头都不皱一下，说，他就没正眼看过我。

林菜花当然如愿以偿，八十元钱，一条简单的绿色布裙。林菜花穿上，哎呀，可真是人靠衣裳马靠鞍，林菜花在我们眼前，突然亮得晃眼。我们说，林菜花，你穿这件衣服去麦克老师家，他一准认不出你。于是，林菜花就穿着这件绿色连衣裙，来到麦克教授的画室。

麦克教授吃惊地睁大了眼睛。林菜花腼腆地笑笑，她也觉得自己穿这件衣服的确是太过漂亮了。

密斯林，我要告诉你，我之所以看中你做我的模特，是因为你不同于其他女子的装束。今天你可能觉得自己很美，可是，这不是我要的画中人。我要的是绿色的、自然的。如果我们要合作下去，你就必须像以前一样，跟你入学时一样。

可是教授，难道我穿着这件衣服，就不自然了，就不绿色了？况且，它是棉布的，还是绿色的啊！说最后一句的时候，林菜花还吐了一下舌头，她觉得自己的俏皮话，一定能让麦克教授涨红的脸，重新白皙起来。

NO，NO！麦克教授指手画脚地表达：我要的是你在村里的样子，贫穷的，泥土的，你明白？

可是，教授，以前我穿那样的衣服，是因为我买不起我喜欢的衣服。

NO！NO！密斯林，你以前的衣服，是艺术！麦克教授着急，手臂不停地挥舞。

林菜花还能不明白？但是一个月后，林菜花坚决辞职。

我在餐馆里和林菜花一起洗盘子，林菜花的手和我的手都在冷水里泡得通红。

林菜花，你真傻，为了一件绿裙子，不要外快。你真是个虚荣的女子！

林菜花将双手放在嘴边哈几口热气，理直气壮地说：我要是真为了那些钱就不穿自己想了几年的绿裙子，那就是虚！真实的女子，才是真正的“Green girl”！

我的民工哥哥

〇李世民

王小石是我的哥哥，一个做民工的哥哥。

说透了，王小石不是我的亲哥哥，而是小时候同村的一个同辈人。我不是一个喜欢怀旧的人，所以，也很不情愿把王小石当成自己的哥哥，只是，王小石把我当成了弟弟，而且，他把我当成弟弟是非常认真和虔诚的。

今年春天，王小石随着一个工程队来到了这座城市，我，就居住在这座城市里。

王小石是个小工，跟着匠人推砖铲沙拉水泥。干活儿的间隙，有人爱折腾。张三说，我单手能托起十块砖。张三说着真的单手托起了十块砖。李四说，我一手能提一袋水泥。李四说着果然一只手提起了一袋水泥。只有王小石，不声不响地在一边铲着沙子，王小石心里有数，自己的个头儿矮、胳膊细呀。

工地上吃饭的时候，也有人爱闹腾。如果碗里的菜是冬瓜，就把话头扯到冬瓜上。张三说，前年俺家菜地种了一棵冬瓜，猜猜结了几个？乖乖，八个！李四说，去年俺田里也长了一棵冬瓜，只结了一个，不多不少，整整一百斤！只有王小石蹲在角落里，埋头吃着冬瓜，王小石知道，自己家里从来就没种过冬瓜。

晚上睡觉的时候，工棚里还是乱翻腾。张三说，这里没老婆打搅多好哇！我老婆的屁股大，晚上放屁山响，震得人睡不着。李四说，说起来丢人，我媳妇儿的脚板厉害，晚上做梦爱踹我，有一回直接把我踹到了床下。只有王小石，躲在被窝里装睡着，王小石明白，自己家里确实没有老婆啊。

终于有一天，工地上来了一群衣冠楚楚的人，大概是检验工程质量的，这群人离开的时候，伙伴们又烧开了锅。张三说，刚才领头的那个人怎么有点像我二叔？我二叔是谁？小学的校长，管着几百个学生。李四说，你二叔比不了我三舅啊，我三舅是村主任，村是个大村，男女老少几千人。这时候，正在推砖的王小石扔下手中的小车，抬起头说，小了小了，都小了。我有一个弟弟，就在这座城市里，当科长呢，他管的人哪，数不清。

王小石的话，着实把大家震了一下。可是很快，大家都一哄而笑：吹大牛呢。王小石急了，结巴着嘴说，不是吹大牛，我弟弟就叫王大牛。

王小石的话是真的，我的乳名就叫王大牛。

王小石恐怕大家不相信，就从衣服里摸出一张纸条来，那张纸上，写着我的名字和地址。

从那时起，在大家比力气夸老婆吹大牛的时候，或者是在没有人的时候，王小石常常取出那张皱巴巴的纸条，王小石说，这，就是我的城里弟弟。

曾经的一段时间，伙伴们都觉得王小石不简单，干活儿的时候争着和王小石分在一班，吃饭的时候都往王小石跟前凑，还有人会悄悄地塞给王小石一包烟。大家都知道，王小石有一个城里的弟弟，王小石的城里弟弟就在这座城市里，那些日子，王小石整天被快乐和温暖包围着。

后来，大家渐渐对王小石产生了怀疑，有人认为，不就是一张纸条嘛。慢慢地，伙伴们开始疏远王小石了，有人在背后议论他，还有人直接对他说，你欠着我一包烟呢。

那一天，工地上停电了，因为不能干活儿，工地上每人发了500块钱，让大家寄回家里。上午，大家都去了邮局，王小石也去了邮局。大家都把钱寄走了，只有王小石没有寄。王小石从身上拿出那张皱巴巴的纸条，兴奋地对伙伴们说，今天有空，去我弟弟家喝酒去！

平时连一块雪糕也舍不得买的王小石，居然买了一包又一包的礼物，王小石说，我弟弟是个讲究的人。

在王小石的带领下，一群民工敲开了我家的防盗门。

王小石对伙伴们说，看看吧，这就是我的弟弟，这就是我弟弟的家。王小石又对我说，他们都是我的兄弟，大家是带了礼品来的呢。

本来，我是准备让我的民工哥哥和他的伙伴们吃顿饭喝点酒的，可是，大家并不知道我是个惧内的人，而且，我媳妇儿在卫生局上班，也是个讲究卫生的人，客厅里浓浓的汗腥味道和夸张的鞋印让我讲究卫生的媳妇儿无法忍受。于是，媳妇儿把我叫进了里间，于是，我把王小石叫进了里间。

还好，临走的时候，媳妇儿允许我把王小石他们送到楼下，这样，王小石已经非常满足了。

出了门，王小石对伙伴们说，今天，我弟弟本来准备请我们喝酒的，可是他今天又有公务，不能陪大家喝酒了，看，这是我弟弟给的钱，让大家在外面饭店里喝酒。说着，王小石把200块钱举到了头顶，使劲晃了晃。

其实，我根本没有给王小石一分钱。

那次，我的民工哥哥王小石喝醉了。

三楼扔出的垃圾袋

○韩昌元

瓦匠李丰收接了个电话就爬了起来。只是几分钟的时间他就迅速掂上两个大馒头披了件衣服走出门了。他知道去晚了就没活儿干，再说瓦匠李丰收也没有刷牙的习惯，他想等挣的钱多了回乡下好好地刷。他把门“咣”一声锁上了，到了自来水管下伸头“咕咚咕咚”喝了几口。

“啪”的一声，一个大大的垃圾袋从三楼扔了下来，李丰收歪着头瞪着楼上本要骂几句，可一想房东也是住在楼上的，唉，还是算了。李丰收看了一眼垃圾袋就用脚狠狠地踢了一下，一个黑色的钱包却从袋子里露了出来。李丰收是不打算捡钱包的，他要赶时间，再说钱包里也不可能有钱。可他刚转身就又回来了，打开钱包，哦，一个美女的照片，还有二百块钱。

李丰收的心开始不在赶时间上了，他想这东西肯定是楼上的，这照片对丢了东西的人还可能很重要呢，这200块钱可够我干半个月的活儿啊。李丰收设身处地地想了丢东西者的感受，于是就提着垃圾袋上了三楼。李丰收推开的是房东的大门，李丰收把垃圾袋在房东门前晃了一下说，这垃圾是你刚才扔的吗？没有，我哪能干这事啊。房东说，下次再出现这样的情况你给我监督进行罚款，反正你们下面住的都是民工，又不怕得罪人。

李丰收听了房东的话打了个冷颤，他想可能是刚才喝凉水弄的。李丰收掏出了照片给房东看，这时房东的老婆出来了，她一下子把照片夺了过去，并用毒毒的眼神看着房东。房东告诉李丰收这垃圾袋不是他扔的，并说“你可以走了”。李丰收“哦”了一声就转身走了，房东老婆对着李丰收说下次可要注意看着楼上的垃圾可别砸着头啊，顺手又把照片还给了李丰收。李丰收再敲开另一家的房门时，住户回了句“有病，妈的”。李丰收准备再敲一下门告诉他垃圾袋里有照片和二百块钱，可一想算了，没有人领，这二百块钱是我李丰收的了。

李丰收关门睡了一整天，到晚上的时候他就想出去吃顿拉面。他觉得这二百块钱是老天爷对他李丰收的奖赏，应该好好地享受一番。他从床底抽了个大碗出来，他每次吃饭的时候都有个习惯——从吃饭的地方带一大碗汤回来。那样他可以不用再喝凉水了。李丰收的大碗没有拿出门就看见房东的老婆进来了，后面还跟着两个汉子。

我老公说垃圾袋里有个钱包对吧？房东老婆问李丰收。

是，有，我当时就想给你的。李丰收说着就从身上掏出了带汗味的二百块钱和钱包。

呵呵，我就猜到了你们这些民工会玩这一手，我老公明明说钱包里有四百块钱。房东的老婆气哼哼的。李丰收开始紧张了起来，这时房东的老婆看了李丰收一眼说，你说实话吧，照片上的臭婊子到底是谁？你以为我傻啊，你会为了一张照片提着垃圾袋去三楼？就你这个破瓦匠？

我以我家儿女的性命发誓，我绝对不知道照片上的女人是谁，那照片真的是丢在垃圾袋里的钱包里面的。李丰收看着房东的老婆怯怯地说。

房东老婆又哼了一声，李丰收没有反应过来就被一阵拳打脚踢打倒在了墙边。他摸了一下鼻子，满手是血。房东老婆走近，让李丰收在两天内交代清楚臭婊子的情况，要不然就用刀子把他捅死。

深夜时分，李丰收的门又被敲响了。他一听见门响泪水就流了下来，肚子虽咕噜咕噜地响，可无论怎样也不敢出去吃东西。李丰收听到门外是一个年轻人的声音，他才踉跄着起来开门。一看是住在三楼的一个大学生。

大叔你好，我是三楼的一个学生，真不好意思，早晨那垃圾袋是我扔的。可我不知道怎么把钱包也丢在垃圾袋里了。那里的钱我就不要了，可那照片是我女朋友的啊。大叔，我刚才听说是你捡的我就过来了……学生很激动地对李丰收说。

李丰收从床铺底下取出钱包递给了大学生。大学生拿了钱包从里面抽出一百块钱说，大叔真感谢你，这钱你拿着。李丰收无论如何也不要，他对大学生说，我能养活我自己，我一定要让我的儿子念书，将来也上大学。

别样的爱

○陈　敏

路易每天把一束玫瑰送给胡佳时，都会轻柔地拍一下她的脑袋问：漂亮的中国宝贝，今天你快乐吗？路易像一个和蔼的父亲，让胡佳禁不住地着迷于他的深情与眷恋。此时的胡佳激动得一句话也说不出来，只是盯着他充满男人气息和含情的目光对他微笑。

路易是走进胡佳生命里的第一个男人，他是个法国人，多情浪漫，身材魁梧，一头淡淡的黄发衬托着一张绅士风度的脸。

一场盛大的酒会，让胡佳和这个异国男子不期而遇。酒会后，路易带着一股异国的清香，微笑着向胡佳走来，把一束早已准备好的鲜花递给胡佳，说：漂亮的中国宝贝，你是个迷人的女人，我为你着迷。胡佳羞涩地对他笑。哪个女人不喜欢在那样的场合被男人称赞呢！胡佳盯着路易深棕色的眼睛，满心的喜悦。

多年了，胡佳的模特儿身材没有给她招来任何一个她所钟爱的男人。除了一些啤酒肚官员和谢顶的老板像苍蝇一样在她周围嗡来嗡去外，还没有一个男子在她面前真心实意地勇敢过一回。他们畏惧于她身材的高度。

爱需要细心，有时也需要大胆与放浪，路易在这一点上做得很出色。不管多忙，每天晚上都会给胡佳送来一束玫瑰。他说女人应该每天看到鲜花，这样就能永葆青春和美丽，心情也会像花儿一样盛开。在他离开她之前，他总是热烈地吻她。这时，胡佳能听见自己身体里的生物钟告诉她，她已不再年轻，该找个男人嫁了。

胡佳就钟情起了这个浪漫的法国人。而且，她超标的模特儿身材只有和路易在一起时才显得般配。胡佳在自己最高兴的时候，会缠着路易带她去逛服装街。她喜欢看他驾车的样子，更喜欢听他车里放着的那首旋律忧伤的法国歌曲《别了，忧伤的爱》，它能勾起她心灵深处的一丝眷恋。

“到了，宝贝，服装街到了！”路易对胡佳说。胡佳半天才从那首忧伤的歌曲中缓过神来。

胡佳的半边身子刚探出车外，就看见一个卖花的小女孩向路易走来，路易果断地买下了一束玫瑰，递给身边的胡佳。这时，一大群卖花的小女孩从黑暗的四周一拥而上，纷纷围到路易跟前，路易设法将她们驱赶，可这帮女孩太固执，怎么赶也赶不去。一个个子最矮的女孩硬是拉着路易的手，把一束花往他手里塞。路易就极不耐烦起来，一声咆哮之后，他像踢一个皮球一样，突然飞起一脚，那个小女孩就在他的一脚里飞得老远。手提花篮的女孩们顿时像受惊的鸟儿，“呼啦”一声四散而逃，只有那个被踢飞的小女孩一动不动地坐在地上。

那个五六岁的小女孩，扎着一个小辫，低着头，抱着腿缩在那里，像一只受伤的小灰鸽。胡佳看不清她的模样，但能看出她的孤独与恐惧。胡佳不敢相信眼前这一事实，她被路易的举动惊得呆在原地。她不敢靠近那个小女孩，更不敢靠近那个她曾经如此熟悉、而此刻又如此陌生的男人。他怎么突然就变成了马戏团里的一只兽性突发的野兽了呢？

“我们走吧，宝贝！”路易想挽回自己的尴尬，他一边说一边伸手拉胡佳。“走开，别碰我！”胡佳怒从心起，突然向路易大吼了一声。她强忍着眼眶里的泪水，转向他，说：“你走吧！”

胡佳觉得自己成了那个小女孩，正吃惊而恐惧地望着这个异国男人。许久，她轻轻地抬起脚步，慢慢地走向小女孩。此时，路易车里的那首《别了，忧伤的爱》放得正响。

山那边没有肯德基

〇红　叶

当那张镶金边的银行聘用合同戏剧性地变成一所乡村学校的报到通知时，我一下蒙了，不明白是哪个环节出了错。朋友安慰我，当老师也好，至少不用面对钩心斗角、争权夺利的世俗。毫无社会背景的我只好带着满腹的委屈与不甘来到这所乡村小学。

学校很偏僻，汽车只能到达学校20里外的小镇，在车上看着路旁飞驰而退的田野，我的心一点点沉落。当汽车停在四面环山的小镇，看着眼前一条因为连日的阴雨而泥泞不堪的土路时，我的泪水终于不可阻止地汹涌而出。那一刻，打道回府的念头在我心中蠢蠢欲动。

就在我迟疑不决的时候，车门处出现了几个小脑袋，看着我似乎欲言又止。终于，一个高个子男孩问道："请问，您是到玉溪屯小学上课的周老师吗?"我叹了口气，低头悄悄擦去了泪水，随即走下了汽车。

下了车我才发现，车边齐刷刷地站着二十多个八九岁的孩子，他们都看着我，脸上满是喜悦和崇敬的神情。看着他们因营养不良而显得苍白的脸，看着他们身上灰暗缝满补丁的衣裳，我心里不禁涌上一丝悲哀，难道我的美好青春就要挥洒在这片贫瘠的土地上吗?

以后的日子，我始终抱着敷衍的态度去上课。我想，山里孩子毕竟生活在物资匮乏的环境里，新事物对他们来说太遥远，只要教会他们认字与简单的算术就行了。于是，每到下课时间，我全然不去理会孩子们不舍与渴求的目光，早早钻进宿舍，一个人在日记里回味曾经绚丽多彩的生活。

一天，村委会送来一摞课外读物，说是城里的学生捐赠的。我把它们发给了学生。有几个孩子在书里发现一张精美的肯德基广告，他们围在一起热烈地讨论了许久，终于忍不住跑到我面前。

“老师，肯德基是什么呀?”其中一个女孩仰起脸好奇地问。那天因为收到了朋友的来信，他承诺想办法帮我调回城里，所以我的心情前所未有地舒畅。对于这些孩子，也难得地耐心起来。

“肯德基是一种食品店的名字，就像你的名字叫翠花一样。”我笑着回答。“那肯德基里都有啥?”长着一双小眼睛的春生问。“肯德基里有汉堡，有薯条，有玉米棒，还有可乐。”“哎呀，名字真怪!”孩子们哄笑起来。“老师，肯德基好吃吗?”“老师，可乐是啥做的呀?”“老师……”听着孩子们七嘴八舌的询问，我有些不耐烦了，挥了挥手：“等你们长大了走出大山就知道了!”顷刻间，孩子们安静了下来，我独自陶醉在即将离开这个穷山村的喜悦里，完全忽略了他们那失落的眼神。

第二年春天来临的时候，我带上班长春玉去城里参加奥林匹克数学竞赛。路过一家肯德基店的时候，春玉忽然停住了脚步。

“老师，这就是肯德基吗?”她指着店门前的肯德基标志问。我的心一动，便牵着她的手走了进去。坐在装修豪华的快餐店里，春玉显得很不自在，忸怩地接过我为她点的快餐，在我的不断催促下才小心翼翼地吃起来。毕竟还是孩子，独特的味道很快就吸引了她的注意力，她吃得津津有味。我问她：“春玉，好不好吃?”她羞涩地点点头：“老师，谢谢您。等我长大了，我天天来吃肯德基。”

看着她满足的表情，我的心里一阵酸楚，这些孩子是多么容易满足啊，一个微笑，一句关怀，就足以让他们对你感激涕零。想起学校里谈起肯德基时一张张兴奋的小脸，我忽然有了一个决定。

我唤来服务生，让他给我准备 20 份鸡腿汉堡，当我把 200 元钱递给他时，春玉使劲地拽着我的衣袖：“老师，别买了，别买了！”我疑惑地看看她：“怎么了？你不想带回去让同学们也尝尝吗？”“老师，肯德基不好吃，一点都不好吃！”春玉脸上露出少有的坚定，“这个汉堡跟我们家的面饼差不多，只是中间夹了鸡肉，还有这些薯条，跟我妈炸的土豆差不多……这些东西根本不值这么多钱！”春玉的双眸中竟涌出了晶莹的泪水。

透过春玉清澈纯真的眼睛，我明白了她的用意，她是心疼钱呀！这些钱够孩子们一个学期的学费啊！我的心被深深地刺痛了，此时山那边的孩子们一定正翘首等待着我的归来，而我却一直把他们当成累赘与负担，忽略了那一颗颗如水晶一样晶莹剔透的心啊！

泪水模糊了我的双眼，我紧紧握住了春玉的手，不再犹豫，拎起那20份肯德基毅然踏上了返回学校的路……

偷拍美女照

〇刘卫平

“我要拍一百张美女照!”

这话是谁说的?老谢说的,是业余摄影爱好者老谢说的。

老谢说给谁听的?说给自己听的,老谢是在心里说给自己听的。

老谢背着照相机,走在大街上。老谢常常背着照相机,走在大街上。老谢就像一个猎人似的,常常这样背着猎枪等着猎物的出现。

有猎物的日子,老谢会眼睛一亮。老谢的眼里会出现一个美人。美人从前方走来,老谢会无比熟练地摘下猎枪——当然,老谢的猎枪肯定不是真正的枪,而只是照相机,正如他的猎物不是野兽而是美女一样。美女慢慢地走过来,老谢飞快地调好相机,从前方对准美女照一张;美女打老谢身边走过,老谢又飞快地从侧面抓拍一张;美女款款地走远,老谢还会回过头去,对着美女的背影补拍一张。

老谢那七八十张美妙绝伦的美女照就是这样拍来的。动作飞快而隐蔽,大多让被拍者毫无察觉。当然,也有被人家发现的时候,免不了会骂老谢一声“有病”,便“咚咚咚”地踏着高跟鞋疾走而去。老谢不怕挨这么一声骂,老谢觉得与那些美女照相比,挨这么一声骂实在是太值得了。与绝大多数的男人一样,老谢喜欢看那些长得美丽的女人,即使没有任何接触,老谢觉得看一看也是让人大饱眼福的,也是令人神清气爽的。在朋友圈子里,老谢有一个广为流传的小典故。有一次他和一帮朋友喝酒,大家说起自己心目中最欣赏的男人，有说政治伟人的，有说某某影视明星的，有说某某商界英才的。轮到老谢时，你猜他说最喜欢的男人是谁——贾宝玉！哈哈，他竟然说最喜欢这个花痴似的男人，你说好笑不好笑？如果你老谢像贾宝玉一样长得眉清目秀也罢，可你偏偏又长得那么马虎，还喜欢贾宝玉呢，嘻嘻！老谢爱拍美女照的嗜好被这些朋友知道后，大家就不再叫他“老谢”，而是直冲他喊“老色”或“好色之徒”。遇到老谢表示不满，朋友就说，我是说你是个好“摄”之徒，难道你不爱好摄影吗？

老谢爱拍美女照的事被人知道后，顿时陷入了内外交困的境地。老谢的老婆向他发难，要他把问题交代清楚，并保证以后不再拍什么鬼名堂的美女照。老谢不答应，老谢说：“我又没和美女睡觉，拍张照片有什么，你吃什么醋？”气得他老婆跟他闹分床。有一次在街上，老谢好不容易发现一个目标，刚拍一张就被人家的“护花使者”发现。那男子冲过来要老谢把胶卷交出来，男子凶巴巴地说：“你怎么能偷拍我老婆的照片？”老谢不交胶卷，口里一连串地分辩：“你听我说，你听我说……”可人家根本不听他说，照他额头上就是一拳，打得老谢晕头转向。好在老谢死死地护住了照相机，才没把胶卷搞坏。

老谢的这次受伤让我真正认识了他这个人。我到他家里看他时，他额头上的那个肿包还是让我大吃一惊。那男人下手也太狠了点，人家老谢不就拍了你老婆一张照片嘛，用得着那么使劲地打吗？可老谢对自己的受伤毫不放在心上。老谢见我来看他，很感动似的，第一次把他的全部作品——八十九张美女照都拿出来给我看。

——啊！那是八十九张怎样精美的照片啊！一张张都美轮美奂，充盈着艺术的美感。每一张的人物姿势都无比自然而恰到好处。那真是一种绝对纯粹的美！一种惊心动魄的美！

“我要拍一百张美女照！”这回，老谢对我说。

“等拍够一百张美女照时，我要搞一次美女摄影展。”老谢显出一脸的得意。

老谢还说："你是搞文学的，应该与那帮俗气的家伙不同吧。"

老谢又说："你应该不会把这也当成是好色吧！"

哎，老谢老谢，谢谢你对我的信任。你的信任让我惭愧。说老实话，这次我还是没有完全理解你。真正让我深入了解你的内心世界，还是在两个月以后。那次你背着照相机，坐在长途客车上，几个持刀歹徒要强暴车上长得最美的那位女子，满车的乘客在歹徒的刀子面前眼睁睁看着，噤若寒蝉，只有你挺身而出，路见不平一声吼，救出了那美丽而无助的女子（后来我总是忍不住猜想，这美丽女子肯定是你正准备拍摄的目标吧）。可你，却被歹徒捅了几刀。

老谢，你走了。你的妻子泪流满面地清理你的遗物时，我特地赶到，我想看看你那还不足一百张的美女照。可是，任凭我们怎么找，却始终没有找到那些照片。

那些照片真美啊！

——老谢，你是不是把这种美都带到另一个世界去了呢？

功　臣

○田洪波

回北大荒看看！这个念头像一道闪电，在一个雷声阵阵的夜晚，突然不期而至，使得54岁的刘焕涛彻底失眠了。

刘焕涛罹患肝癌两个多月了，他知道自己的生命随时都会戛然而止，因此，他不想留有遗憾。随后几天，他开始联系知青战友，很快就组成了八个人的"还乡团"。

当他费尽周折把电话打到当年插队的德胜村部时，怎么也没想到接电话的恰恰就是当年的村长老肖。三十年弹指一挥间，想不到岁月更迭，却没有让老肖卸下村长的职务。电话那头的老肖激动得语无伦次，反复念叨着他也想他们。末了，说出一句震撼刘焕涛心田的话："你们是功臣，德胜村欢迎功臣们归来！"

刘焕涛泪水滂沱。的确，插队的七年光阴中，他们把青春和汗水都奉献给了那片神奇的黑土地，换来了黑土地全新的面貌。

身为一家上市公司董事长的刘焕涛，将文具用品、衣服、糖果等装了大半车，在一个阳光明媚的早晨，与战友们驾车浩浩荡荡地开向三江平原。

黄昏前，他们的汽车进入了广袤的三江平原大地。一排排鳞次栉比的楼房，一座座现代化的学校，一条条宽敞的道路，让他们不由感叹，变了，一切都恍如隔世。

“是焕涛吧?”在隆重迎接他们的队伍中，一位虚眯着眼睛的老人趋前握住了刘焕涛的手。刘焕涛这才发现，那是他时常想起的村长老肖，惊问他眼睛怎么了。老肖颤抖着手说：“就是老了嘛，年轻时不知道珍惜，这不，晚年疾病就找上门来了。白内障，有点严重，不过不碍事。”

大家长时间地拥抱在一起，热闹一直持续到晚上。刘焕涛拒绝了市里的安排，执意住在村长老肖家，好在老肖家有四间大瓦房，足够他们闹腾的了。吃过醉过，他们便与老肖拉呱起当年的往事。

许是喝了酒，许是又见到了当年的朋友，刘焕涛兴奋地和队友忆起了两人一起伐树的壮举来，讲他们如何敢与天地斗，让一棵棵粗壮的树轰然倒下。可刘焕涛发现，老肖的脸上似有难言之隐，并不接话茬儿。

夜里，刘焕涛被肝痛折磨，很长时间睡不着。他感慨良多，想到回城的那些年，他废寝忘食，从一个普通工人做起，终于打下了一片属于自己的江山，可是由于身体的严重透支，癌细胞也报复性地侵蚀了他。代价无疑是大的，如果重新来过，他相信自己决不会不计后果。

早饭吃过，热闹的场面再次出现，这回，连记者都赶来了，二十余辆车，浩浩荡荡地开向翠绿的田野。老肖则因为白内障没能陪同。

走在翠绿如黛的湿地上，刘焕涛想起了当年烧荒的壮观场景，不由吁出一口气。

那是难忘的画面啊！一根火柴轻轻地被划燃，豆大的火苗就龙飞凤舞地伸向草叶，窜起高高的火舌，在风的助威下疯了一样，翻卷扭动着腰肢，义无反顾地扑向草甸子。他们呼喊震天，兴奋异常。很快，草甸子就变成了一片火海。火焰散尽，一台台红色的东方红牌拖拉机就挂着铁犁开进了原野。尖锐的犁铧刺入大地，黑土就翻身朝上，一条条，一趟趟，一片片地坦露开来，面向天空变成了可人的庄稼地。

解说员的嗓音委婉动听：“过去，黑土地曾为我们贡献了大批粮食，养育了一方人。可是现在，我们也同样收获了教训。那就是，我们无形当中也破坏了湿地。湿地是地球的肾。由于过度开荒开采，地球的肾已经萎缩甚至消失。大家知道，人的肾出了毛病，需要做血液透析。地球的肾怎么治呢？现在，我们认识到自然生态环境对人类的重要性，因此，大家看到的这个湿地被保护了下来。退耕还湿，退耕还草，退耕还林已经成为共识……”

刘焕涛感觉肝部剧烈地疼痛起来。随后到场部参观现代大型农业机械设备，他也一直耷拉着脑袋，一言不发了。

当天夜里，刘焕涛与还乡团成员偷偷商量了许久，给老肖留下了一万元钱和一封信。信上，他告诉老肖，一万元权且是他们的一点心意，让老肖代为他们买下树苗，明年开春为他们栽上，就取名为知青林。第二天凌晨，他们悄悄开车返回了北京。

鹅头也焗油

○吴克敬

城南开了一条农家饮食街，去过的人都说花样多，花钱少，是很值得一去的。周末下午，约了几个朋友，分头去那里。我去得早了，就在炊烟袅袅的饮食街走着看着都有些什么花样。走不多远，即大为感慨：市场经济的力量真是太大了，远在陕北陕南的饮食，近在关中东府西府的餐品，全都汇集在一条街上了，口味五花八门，口音南腔北调，果然名不虚传，很有吸引力。正是用餐时间，开小车的，骑摩托车的，坐出租的，纷至沓来，拥塞了一条街。

倏忽，就看见了一头大肥猪——不是一般的大，有一吨多重的样子，四蹄站都站不稳了，就那么静静地卧在挂名“陕南风味馆”的门前，黑油油的，收拾得倒也干净。我纳闷儿，养一头大肥猪在门前干什么呢？但很快就明白过来了，它这一身黑膘吸引了不少的食客，去它的身边指指戳戳，然后转身就进了它身边的大门去用餐——敢情这大肥猪就是迎宾“先生”了。

再往前走，又看见了一只大绵羊——同样不是一般的大，半吨的重量过了，特别是那一身的毛，卷卷长长的，像是漂洗过一样，特别的白，一团滚滚的雪块似的，同样地吸引食客不断地走近它，指指戳戳地进它身边挂名“陕北风味”的馆子。敢情这只羊是一位迎宾“小姐”了。

再走下去，还看见了两只孔雀，两只锦鸡，两只猕猴，两只兔子，甚至还看见了一头黑熊和一头麋鹿。这些迎宾“先生”和“小姐”，应该是这条街上独特的风景。大家到这里品尝农家餐饮是一种兴趣，观赏动物“迎宾”又是一种乐趣。

正走着，就看见了那两只大白鹅了，长长的颈脖上，那个小小的鹅头，被店主人精心设计过了，每一片羽毛都由原来的纯白色染成不同的颜色，红、黄、橙、绿、青、蓝、紫，特别抢眼。

我靠近了大白鹅，看着它总有些似曾相识的感觉——对了，此前不久，我去一家美发中心收拾长乱了的头发，刚刚坐定，就见玻璃门外有一个中年汉子，虽然穿了西装，但不难看出他长期生活在农村的背景。他外表拘谨，却掩盖不住他内心的精明。他挤进门来，把背上的一个大背篓卸下来，打开蒙着的盖布，就看见两只鹅头同时伸了出来，发出两声脆脆的高叫，把美发中心的理发师和众多顾客惹得大笑。

汉子也讪讪地笑着，说：给俺的鹅焗焗油成吗？

当然不成。如果给他的鹅也焗油，顾客谁还到他们这里来，这里的生意还怎么做？理所当然地，汉子和他的大白鹅被“请”出了门。

眼前焗了油的大白鹅，会是我曾经见识过的那两只吗？不敢肯定，但我却拿定了主意，就在焗了油的鹅“迎宾”的饭堂用餐。我掏出手机，给相约的朋友一一打了电话。

大家到齐后，就在一个雅间里吃喝开了。我的心里还牵挂着焗了油的鹅“迎宾”，就到大堂来转悠，想找到饭堂的主人，看他是不是早先见到的那位给鹅焗油的汉子。工夫不负有心人，汉子还真被我找到了，就是他。但他今天的表现比在美发中心时要自如得多，不断地吆喝指挥，不断作揖打躬。

我走到他面前说：别来无恙？

汉子没认出我来——怎么可能认得呢？那天他的全部心思都在为两只大白鹅焗油上，才不会注意别人呢。我向他作了简单的介绍，汉子当下乐了，说：不给我的鹅焗油？我出钱哩，大钱呀！明里不答应我，到背后，店主带着焗油膏撵到咱店里来。咱这大白鹅是包了月的，每月美发师来两回。把我的大白鹅焗不漂亮，焗不出彩，咱辞了他！

怎样把沈小默留下来

○邵孤城

要想把沈小默留下来，一个字：难！两个字：太难！三个字：实在难！秦少武想破了脑袋也没想出辙来。

秦少武这一整天在屋里算是白待了，烟屁股倒是扔了一地，可主意却一个也没想出来。沈小默从他房里进进出出，一会儿搬来一摞书，一会儿送他一个鞋架，一会儿又是一把雨伞，凡是带不走的，或是今后派不上用场的，沈小默就统统往他这屋搬。秦少武看着沈小默送来的“废物”（沈小默是这么说的，送给他是为了“废物利用”），它们其实都是半新的。比如，这里旱，那把伞就没用过几次。秦少武叹了口气，看来这次沈小默是铁了心要走了。

怪只怪老磨儿沟这地方穷，不是穷，是太穷，贫瘠的土地里长不出好庄稼，又怎能指望它留得住城里来的姑娘呢？何况，还是这么标致这么优秀的姑娘。

沈小默原本要在老磨儿沟待三年，第四年她没说走，第五年临走前又鬼使神差留了下来。五年了呀，秦少武想，沈小默把她一生中最美好的五年丢在了老磨儿沟！他怎么好意思让她继续留在这个要啥没啥的穷地方呢？

那盆吊兰是天擦黑的时候沈小默送过来的，她嘟着个嘴直抱怨：“秦少武，你好意思看着我忙得上蹿下跳也不过来搭把手？”

秦少武拿鞋底把烟灭了，站起来："我帮你，好像是我巴不得你快点走似的！"

"你们男人咋也那么多心思啊？"沈小默把手上的灰拍了拍，"不过现在也不劳你大驾了。这盆吊兰你给我好好养着，千万别给养坏了！"

这盆吊兰早已发育得没法在墙上吊了，伸出的虬须有十几个，像一个维吾尔姑娘捆满了小辫子一样，很是好看。

"等以后再来老磨儿沟，我头一个要见的就是它。要把它养没了，我唯你是问！"沈小默虽不得理，却也一副不饶人的架势。

"在你心里，难道我还比不上这盆吊兰？"秦少武耍了回贫嘴。

"那当然，这是孙子平送的，要不是它，我去年就走了。"

"孙子平？沟前那瘸腿的孩子？"

沈小默点点头："他去年特意大老远从城里买来的。"

"你去年突然说不走了，就因为这盆吊兰？"

沈小默不说话，只笑。秦少武却像得了启发："那我也去城里买一盆吊兰，你再留一年！好不好？"

"你喜欢吃饺子，以后我天天包饺子给你吃！"

"只要你肯留，老磨儿沟的人就是不喝水，也让你天天洗上澡，成不？"

沈小默别过头去，说："我知道你舍不得我，我也舍不得……可我妈老了，我不能再让她孤零零一个人了。"

"我现在挺害怕突然蹦出来一个让我不回去的理由，特别害怕你再让我把你也当'废物'利用一下。"沈小默说完，被自己的幽默感逗乐了，忍不住扑哧笑了起来，秦少武也尴尬地跟着笑。

这话是有来由的。秦少武的娘听说沈小默要走，就冲秦少武发牢骚，她说："你和小默朝夕相处了五年，别说这么水灵一个姑娘，就是喜马拉雅山上的千年积雪也给融化了，可你倒好，连人家半颗心也留不住！你说你——你说你是不是个废物啊!”秦少武带上老娘的话去求沈小默:“你看我娘都把我糟践成这样了,你还不行行好,把我给‘废物’利用一下,也好消消她老人家的心头之恨?”

那个晚上,秦少武翻来覆去在床上“烙烧饼”,迷迷糊糊着,听到隔壁屋沈小默起床的动静,难道这丫头想不辞而别?

也好,走了干净,省得老想着要不要去把生米做成熟饭。前几天老人家给儿子支了一招,让他软的不行就来硬的,把生米做成了熟饭,你赶她走,她也不想走了。老人家“使坏招”的时候,秦少武想都没想就拒绝了,可刚才一躺床上,娘的话就噼里啪啦在耳朵边响起来。

隔壁传来开门的声音,接着是脚步声,越传越远。“这丫头真的要连夜赶路啊!”

秦少武一骨碌坐起来,黑暗中,秦少武长长叹了口气,沈小默用这种特殊的方式告别,也许有她特别的用意吧,等到天明,任何一道送行的目光,都会羁绊她离开的脚步啊。

秦少武不知道坐了多久,突然又有脚步声传过来,越来越近。快靠近这屋的时候,又停了下来。也就片刻,那脚步声就急匆匆冲这屋奔过来,接着是紧锣密鼓的敲门声:“秦少武,开门!”是沈小默的声音。

秦少武又惊又喜,他赶紧拉亮灯,开了门让沈小默进来。

沈小默的头发给露珠打湿了,贴在脸上,她的脸,涨得通红:“秦少武,白天我让你利用的“废物”——你还给我吧。”

“还给你?什么意思?”

“什么意思,就是你这个‘废物’我还得利用一年呗!”这话沈小默说得比蚊子叫还轻,可秦少武却听清楚了。他一把抱起沈小默:“你是说,你不走了吗?”

沈小默慌忙从秦少武怀里挣扎出来:“你先让操场上的孩子们回家吧!”

“操场上的孩子们?”

“操场上站满了孩子，每个孩子都提着一盏小橘灯——他们说，我就是老磨儿沟的一盏小橘灯。”

秦少武明白过来了，他推开门冲出去，冲着操场喊：“同学们，沈老师不走啦——”

马上就有孩子们兴奋的喧嚣声传过来，接着是此起彼伏的“沈老师留下来啦”的叫声，在老磨儿沟的星空下经久不息地回荡。

原始积累

〇远　山

H 大学正门东侧，有一排树。有一天，树下出现了一个擦皮鞋的女孩。女孩看起来虽然不是如花似玉，却也亮丽动人。当她低腰擦皮鞋时，乌黑的头发瀑布一样垂下来，露出雪白的脖子一截，看得那些学生顾客心神迷乱。

小鲁就是其中的一个。

小鲁是管理学院的大三学生。他知道自己今后要在商海里混的，所以很注意自己的形象，尤其一双皮鞋，保养得很好。他相信这样一句话："男人的形象，一在头，二在脚。"所谓脚，就是指皮鞋了。所以当他听说校门口出现了一个擦皮鞋的摊点时，很高兴，马上就去了。

他知道擦皮鞋的是一个年轻姑娘，同寝室的几个家伙已经兴奋地谈论过一个午睡时间了。他不在意。他认为只要皮鞋擦得好，擦皮鞋的是男是女是老是少，是无所谓的。可是他没有料到，这个擦皮鞋的，不但年轻，而且还很有味道。她眼睛一扫，小鲁就觉得自己心神迷乱了。

当然，小鲁是有定力的。他很好地控制了自己的情绪，不让这种心神迷乱在姑娘面前有丝毫的流露。

"麻烦你，擦一下皮鞋。"他总是这样彬彬有礼。

"不麻烦。谢谢你的光顾。"姑娘态度不卑不亢。

小鲁突然对姑娘充满了同情和怜爱。这样的人怎么可以擦皮鞋呢？

“你可以试试换一种工作。”有一天，小鲁忍不住对姑娘说。

“怎么？我这工作不好吗？”姑娘埋头擦鞋。

“不是不好，工作没有贵贱嘛。”小鲁说，“我只是觉得，你……你这样的条件，可以从事更好一点的工作。”

姑娘将抹布用力擦了几下，表示皮鞋已经擦好了。她抬起了头，一边接过小鲁递过来的擦鞋钱，一边说：“你放心，我不会一辈子擦皮鞋的。我有自己的理想。”

“理想？”小鲁觉得有了进一步交流的话题，立即兴奋起来。“能说说吗，什么理想呢？”

姑娘一笑。“告诉你也无妨。我的理想是经营一家皮鞋厂。”

小鲁愣住了。他没有想到她的理想仍然与皮鞋有关。“皮鞋厂？那要多少资金啊……”

姑娘又是微微一笑：“你没有看见我正在进行原始积累吗？”

小鲁又是一愣，他忽然觉得自己是一个小学生，而这个擦鞋的姑娘倒像是一个大学生，甚至像一个经济学教授。

第二个学期，小鲁返校了，擦皮鞋的姑娘却再也没有出现。这让小鲁很沮丧，一方面是由于再也看不到她了，另一方面，是因为校门外不远处的商场里，出现了一款新型皮鞋。这鞋既是皮鞋，又是运动鞋，或者说是皮质的运动鞋，极受既爱好看又爱运动的大学生的欢迎。小鲁自己就买了两双。他想如果她还在擦皮鞋，她一定会赞美这种皮鞋的。

很快，毕业来临了，大学生的幸福生活从此结束，因为他们要为找工作而四处奔波了。校园内也出现了各种招聘广告。其中就有一家鞋业公司。小鲁突然对这家鞋业公司有了兴趣。虽然地址告诉他，这家公司在南方，有点遥远，但小鲁还是毅然南下了。

鞋业公司对于小鲁似乎有点兴趣，经过了两次面试后，他得知营销部主管要见他。也就是说，如果没有什么意外出现，他将获得一份工作了。

但是意外还是出现了，因为他一眼发现这个主管竟然就是一年多前在校门口的那个擦皮鞋姑娘。姑娘却没有什么惊奇表情出现。小鲁明白，她肯定早就看过他的材料和照片，知道他是谁了。

“不要惊奇，一个擦皮鞋的姑娘怎么突然升级为主管。”姑娘说，“因为我本来就是公司里的业务骨干。擦皮鞋无非是一种市场调查的形式，瞧你这双鞋，”她指着小鲁穿着的运动型皮鞋，“正是我那次市场调查的产品，我在你们几所大学门口擦了半年多皮鞋，终于知道你们大学生喜欢穿什么样的皮鞋。”

小鲁愣在那里，不知如何接话。

“欢迎你加盟我们公司，”姑娘说，“不过第一步，你需要原始积累，你看——”

小鲁顺着她的手势看去，看见墙角放着一个擦皮鞋的小箱子。

“眼熟，是不是?”姑娘笑了起来。“我现在将它传给你。你要明白，原始积累不仅仅与金钱有关。阅历，行情，调查研究，等等，其实也都属于原始积累的一部分。”

老　耿

○宗利华

一个派出所，好比一只麻雀。天津话讲，吗人都有！所长、教导员、副所长、副教导员、警长、副警长、片儿警、治安警、户籍警，还有不在警察序列内的，比如，联防队员：穿着上跟民警没啥两样，神态上，有的比正式民警还牛上几分；再比如，户籍协管员，多数是嫩葱般的小丫头，手指在键盘上飞成两只小蝴蝶，走起路来，小胸脯挺着，脚好像不沾地，很赏心，很悦目。食堂里还得有一个两个做饭的吧？这么大一家子人，个顶个吃起饭来跟土匪似的。而且，众口难调。一般人，还不一定能伺候得了呢！

老耿就能。

老耿是个瘦子。不是一般的瘦，是那种你想象不到的瘦。再紧巴的衣服，到他身上，也显肥大。有风吹进去，能鼓成气球。

老耿不光做饭，还管着好大一摊子烂事儿。

派出所四层楼，房间就不少。每个房门钥匙，都额外放他那里一把。老耿把所有钥匙都贴了白胶布，用圆珠笔写上字儿，穿在个大铁环上。在食堂以外见到他的时候，他手上必定拿着那串钥匙，像哪吒手里的金刚圈，一前一后摇晃，哗楞，哗楞，哗楞，很有节奏。

他这人腿脚特别麻利。

干这差事的，腿脚不麻利能吃得开吗？

这间屋里的门把手坏了，那屋里要在墙上挂牌子，纯净水喝光了，电源插座不好使了……大家走到门口，或者站到走廊正中间，扯起嗓门儿，老耿，老耿，老耿！先听到一声回应，然后，那钥匙声节奏明显加快，哗哗楞，哗哗楞，老耿出现了。

老耿做的饭菜，算是比较让大家满意。

派出所的食堂，不可能整得像饭店。这么多人，饭菜稍稍上个档次，就是一笔不小的开支。大当家的也头疼。顿顿鸡鸭鱼肉？银子是那么好搞的？再说，花钱的地方，多的是！可是，大家既忙又累，伙食上忒差劲，也说不过去。

所长抓着头皮跟老耿商量，能不能既省钱，又做得好点儿？我知道，这是为难你。

老耿一脸庄重，我尽量吧，尽量！

他的确尽量了。尽管多是寻常蔬菜，但老耿能频繁地变换花样。老耿腌制小咸菜是一绝。小黄瓜、芹菜根、水萝卜，油焖得清脆爽口。满满的一盘，摆到桌上，转瞬间就不见了踪迹。

饭做好了，老耿站到院子里，仰起头，吹哨子。三声哨响，楼里就传出丁丁当当的碗筷敲击声，像走出一支刚刚组建的乐队。

老耿，今儿中午有肉吃吗？

老耿仍是一脸庄重，有，有啊，我精挑细选的排骨，一大锅呢。

问的人，明明知道这是不现实的。

于是，与老耿对着脸，咧着嘴乐。

派出所民警加班加点的时候多，随意性强。不像有些单位，到吃饭的点，所有人一个都不少。在派出所，几乎没有早餐、午餐、晚餐这种划分法。有时候，正吃着，报警电话进来，扔下饭碗就得走人。想凑齐人再开饭，不可能的事儿。老耿四下一瞧，就知道谁还没到，于是，单独把饭留出来。不管什么时候去食堂，哪怕是夜里出警晚，回来肚子开始叫，老耿都会起来给你烧火做饭。

显然，派出所少不了这样一个人。尽管，平日里感觉不到他的重要性。但那几天，所有人都感觉到了。

老耿罢工了！

他准备炒派出所的鱿鱼。

老耿跑到所长屋里，把那串钥匙哗啦一扔，我不干啦！所长半天没回过神来：这老爷子什么时候发过火呀？还没等他开口问，老耿早出门去也。

那天中午，大家都没听到熟悉的哨响。一开始没在意，后来，互相串门。咦，怎么不吹哨了？啥时候吃饭哪？饭当然吃不成啦，各人想各人的办法去。晚饭依然没着落，现找人也来不及呀！大家这才意识到生活发生了改变，一下子少了很多东西似的。

所长还在寻找答案，终于，大悟，是一个民警把老耿给得罪了。

所里丢了俩警用手电筒。该民警开玩笑，老耿，拿回家哄孙子啦？

就这一句话，老耿恼了。

所长把那民警喊去，好一通训，嘴皮子痒痒是不是？找块砂纸打磨一下呀！老耿干多少年了？是那种人吗？给你两条道，一、从今以后，你做饭。二、立马开车去，把老耿接回来！

那民警选择后者，乖乖地去，灰溜溜地回来。车上自然没有老耿。老耿说了，你不是警察吗？你啥时候把那案子破了，我啥时候回去！

所长哈哈大笑，那还愣着干吗？查吧！

还真就给查出来了！

是刚招聘的一个联防队员干的好事儿。

哨声响起来。大家纷纷走过去，对老耿表示亲切慰问，大多带有半开玩笑的性质。对这瘦老头儿，无端又多了份别样的感觉。

老耿系着白围裙，弓着腰，手里拿把勺子，站到大厅中间说，说实话，你们都和我儿子差不多年龄，我老感觉，你们就是我的孩子。看着你们整天没白没黑，我也心疼。我就想，为你们多干点力所能及的事儿。我不怕跑腿！可我这人，一辈子没被人戳过脊梁骨。别的玩笑，怎么开都行。说我偷东西？我，我丢不起那人！

老耿眼里亮晶晶的。

躲　五

○刘正权

尹小妹在五月初五这天起了个大早，在黑王寨起这么早的孩子不多见，不是黑王寨的孩子有多懒，而是孩子们都在学校里住着读书，不到放假不会回来。

难得端午节成了国家法定假日，但孩子们都还在梦乡里呢。尹小妹起得早是因为尹小妹这个星期请了病假，都在家待得发了霉。都是叫那个疥疮给惹的，尹小妹为这事气得不行，就是得个别的病也行啊！尹小妹虽说才念小学二年级，可门门功课都占第一的，第一个得疥疮可不是她想要的。

尹小妹自然就觉得委屈了，她可是最爱干净的孩子呢，都怪学校条件差，那么多孩子挤一屋，不长疥疮才怪呢！

难得在家过个端午，尹小妹觉得这总算是不幸中的万幸。

割了艾蒿回来，尹小妹就搬了凳子出来，垫在脚下，探着双手往门楣上插艾蒿，听奶奶说，五月端午这天插的艾蒿以后煮水洗澡，身上可以不痒的。

这疥疮可让她痒得难受呢！

插完艾蒿，尹小妹就去奶奶床上抽丝线，奶奶床头拴了各种颜色的丝线，据说用处大着呢！比如说今天吧，往年的今天，奶奶会给尹小妹手腕上系五彩的丝线来躲避妖怪，奶奶嘴里所谓的妖怪，不过是蛇、蜈蚣、蝎子、蜘蛛、黄蜂等五毒之流，老辈人传下来的习俗，系了五彩丝线，五毒就不敢近身了。所以端午节在黑王寨，又叫躲五，去年端午节，尹小妹是在学校过的，奶奶没给系上五彩丝线，结果，巧不巧？尹小妹就得了疥疮。

尹小妹今儿就自个儿来挑丝线了，别看尹小妹才八岁，可已经晓得爱美了，奶奶老眼昏花，哪次不是挑的黑线白线多，红的黄的紫的才几根，根本没点儿五彩的意思。

奶奶在厨房里包粽子，尹小妹就先抽红的，再抽黄的，红配黄喜洋洋！又挑了绿的，最后扳着指头算了算，才象征性地挑了两根黑线和白线，奶奶说了，戴了五彩丝线的孩子，未满十二岁的，心肠好的，可以看见金环五爷呢！

金环五爷，那可是传说中的神仙呢，听说谁要被金环五爷摸了头，能一辈子无病无灾呢。

尹小妹就低了头，编五彩线，想象金环五爷的模样。

奶奶粽子没包到一半呢，爹和娘从寨下卖了黄鳝回来了，今天是端午节，黄鳝一下寨子就被贩子抢购一空了。

爹娘很开心，数着票子冲奶奶说，妈，别包了，难得小妹在家，我们一起到街上过端午吧！

奶奶说行啊，就怕小妹吹不得风！

爹说，哪那么娇贵啊，小妹是长疥疮，又不是出风疹！

小妹一听去赶集，当然高兴，小妹说行啊，我早就想上街了呢，编完五彩线我们就走！

娘笑小妹说，人家街上人不兴戴五彩丝线的！小妹不信，说那他们街上人咋兴过端午呢？

娘没话了，娘说你麻利点儿，我们得赶在太阳出来前下寨子，待会儿太阳一出来，能热死个人呢！

尹小妹说行，你们先带着奶奶下去吧，反正摩托车一趟也坐不下四个人！

爹娘想想也是，就换衣服，一迭声催奶奶快点儿快点儿。日头那会儿已经在往山尖上爬了呢！

爹一溜烟下了寨子，等他又一溜烟爬上寨子时，门口却没了尹小妹的人影。

去哪儿了？爹正四处张望着呢，尹小妹回来了，后边还跟着一个人，是五爷！

尹小妹手上缠着五彩丝线，五爷手上也缠着五彩丝线，爹说，小妹你做啥呢？尹小妹晃晃手腕说，请五爷出来躲五啊！

爹生气了，说五爷又不是小孩子，躲什么五？

尹小妹嘴一嘟，你们平时不都说五爷是老小孩吗？老小孩不也是小孩，不也得躲五啊！

爹就没话了。尹小妹患疥疮，还是五爷把家里藏了三年的艾蒿拿出来给尹小妹烧水洗的澡呢！五爷是个老光棍，往年都在他家过端午的！

听奶奶说两家祖上同宗呢！

爹就红了脸，说实话，这次下寨子过端午是媳妇的主意，媳妇说过个端午，老搅和一个外人，像啥话呢？尤其今年，五爷得了支气管炎，动不动就咳上一嗓子，很让媳妇不舒服。

爹带了五爷和小妹往寨下骑，太阳这会儿已经升起来了，老远，奶奶和娘就看见小妹了，在小妹身后，金红的晨雾从云中一层层透下来，落在一个老人的头顶上，一抖一抖地，现出一道道光环来。

金环五爷！娘忍不住叫了一声。

奶奶没叫，奶奶手搭凉棚望过去，自言自语地说，也就碰上小妹这好心肠的娃儿，金环五爷才肯现身的！

乡思红

○蔡　楠

红云从娘娘河里爬上来，将湿漉漉的头发高高挽起，少女清爽爽的身子就仙女一样袅袅娜娜地向河北岸飘去。在那棵740岁的嫡祖树前，她看见父亲洪钟正和一个外乡人你一言我一语地争着什么，树上倚着的竟然是聚馆村的老美女红果。

老洪，你就别犹豫了，给你20万怎么样？20万买一棵快死掉的破枣树，这种事只有我温傻子才肯干！

不卖，这可是我祖上留下来的宝贝啊！

宝贝？你也不会利用。还不如卖给我，连树带根一起刨掉，你在这里好好种庄稼吧！你说，我再加10万块怎么样？

好，就这样定了！这时倚在树上的红果说话了，她拦住了还想梗脖子的洪钟，对那个外乡人说，你快去准备钱，洪大嫂正等钱治病，红云这孩子功课好，考大学也正愁学费呢！

红云就斜了红果一眼，心说我考大学干你屁事！你四十多了还不嫁，天天围着我爸转，巴不得我娘死了赶紧嫁到我们家呢，在外人面前装什么慈悲？还不是想卖了树分一半钱？

红云就悄悄地跟着那个叫温傻子的外乡人来到了信用社，把他拉到旁边问，大叔，你真傻啊，怎么出那么大的价钱？

温傻子哈哈一笑，姑娘，我才不傻呢！我把这树弄回去，用它的接穗嫁接一片冬枣林，所有的枣树不就都成了宝贝，都能卖 30 万的大价钱了吗？

红云就明白了。明白了的红云转身向乡政府跑去。在阳光下，她刚刚浴洗过的身段不再仙女般袅娜，而是变成了一缕风。高高挽起的长发飘扬成一面黑色的旗帜。

这件事情发生在十年前。红云去乡政府的结果是：乡长带人来了。洪钟的树没卖成。红云的娘不久因病去世。红果如愿以偿代替了红云娘。红云读大学的学费一部分靠乡政府供给，一部分靠自己在中关村打工。

就在红云读大四的时候，突然接到了来自聚馆村的一笔汇款和一箱冬枣。是红果寄来的。红云还收到了红果和洪钟分别寄来的信。红果的信说，红云，多亏了你的告状，咱的嫡祖树才能保留下来，咱村的 198 棵宝贝冬枣树才能保留下来。如今，乡里市里提倡种枣，咱家嫁接了自己的枣园，咱村有了一大片枣林，咱乡里有了十几万亩冬枣生产基地。今年咱家冬枣丰收，卖了五万斤。给你寄去一万元钱，你买台手提电脑吧！洪钟的信说，红云，你以前误解了红果，她其实是一个好女人。她对我好却没想拆散我和你娘，她真的希望用卖树的钱治好你娘的病。这几年，她和我拼命地侍候树，侍候冬枣，就是想有了钱送你到国外留学，也让咱枣乡和世界接轨啊！你尝尝那棵嫡祖树嫁接出来的冬枣吧，皮薄肉嫩、酥脆味甘、入口欲化，是过去皇帝才能享用的仙品呢！再有，你回家乡来看看吧，你洗澡的娘娘河畔，我们的冬枣园已经连天一碧了！

红云读着信，读着父亲这个老高中生对冬枣的描述，然后吃一颗冬枣，就香甜地哭了。哭过之后，红云回了一趟聚馆村。那时，娘娘河的水已经很凉了，但红云还是裸身投入了母亲河的怀抱。她喝一口河水，吃一颗冬枣，又噼里啪啦游一阵子，秋水澄明，倒映着枣林。红云觉得自己是一条美人鱼，游弋在对家乡的深情里。

红云帮助红果和父亲建起了村里第一个食品加工有限公司，又贷款投资在北京买了一个大冷库。将全村的冬枣一下子就都聚到了北京。又通过北京航空学院一位同学的关系将冬枣打入了中国国际航空公司，把冬枣作为配餐食品送上了蓝天，送到了世界各地。

红云研究生毕业以后，分到了商贸部。她牵头在人民大会堂举办了首届冬枣节。当年的乡长、现在的市长将一个红红的聘书和10万元奖金送到了红云的手里。红云接过聘任她为市政府经济顾问的聘书，却把奖金退了回去。红云说，市长，用这钱举办一个冬枣技术培训班吧！我只想拥有两棵家乡的冬枣树，我要把她永远栽种在我的心田！

2007年9月，红云工作去了加拿大。临走时，她回到了聚馆村。在娘娘河畔，红果和洪钟在那棵险些卖掉的嫡祖树下刨来两棵嫁接好的冬枣树。赠树仪式上，市长把彩绸包裹的冬枣树郑重地送到红云的手中。红云透过彩绸，循着市长的目光向茫茫的冬枣林望去。那里，串串成熟的冬枣，红接远天。

不久，红云把那两棵冬枣树苗种在了加拿大。她给即将长大结果的冬枣树取了个朴实动听的名字——乡思红。

一碗羊肉汤

○李世民

晌午，村里飘散着好闻的羊肉味道。

是的，是村头的春山家炖了一锅羊肉汤。

春山一边往锅底添柴火，一边想从前的事情。

那一年，春山上山采木耳，脚下踩滑了，摔伤了腰。从此，春山的腰成了春山的病，也成了春山的心病。

后来，村里的年轻人纷纷走出了大山，去城里打工。春山也想去。

出去的年轻人回来了，他们的腰杆硬硬的，腰包鼓鼓的。他们走路的姿势和从前不一样了，说话的声音和从前不一样了。不久，他们盖起了鲜亮耀眼的新房子，就连他们的女人，也变得鲜亮耀眼了。

其实，春山也出去了，春山去了城里的好几个工地和好几家厂子，老板看了看春山的腰，都摇了摇头。春山空着手回到了山里，春山的腰，像背了一座山。

那天，春山正在家里叹气，村主任来了。村主任指着不远处绿莹莹的山坡说，你看，那山上的草多青呀。春山顺着村主任的手向山上望去，春山觉得那不过是一幅画，不能吃也不能喝。村主任又对春山说，春山，你养羊吧，山上的青草，不要钱。春山的眼睛一亮，春山觉得村主任说得对，那不仅是一幅画，还是一片片好东西。可是，春山还是叹了一口气说，哪有钱买羊啊，去城里的路费，还是借的呢。

第二天，村主任把两只山羊赶到了春山家。春山说，您家的羊，我怎么能要？村主任说，我家的羊不是给你的，你先喂，等羊下了羔崽，再还我的羊。

后来，村主任常常来春山家，有时，是给春山带来养羊的书；有时，是看春山把羊喂肥了没有。

春山的羊，像开了一朵又一朵的白云彩，一天比一天开得鲜艳。

春山喂羊，喂出了路子。

春山的腰杆硬硬的，腰包鼓鼓的。春山走路的姿势和从前不一样了，说话的声音和从前不一样了。不久，春山盖起了鲜亮耀眼的新房子，就连春山的女人，也变得鲜亮耀眼了。

过年的时候，春山拣了一只又肥又壮的羊，杀了，整得干干净净，准备给村主任家送去。

送羊的时候，春山犯了难。

春山想，人家村主任是个官呢，这不是送礼吗。如果让别人看见了，人家会戳自己的脊梁骨。当然，这不是最重要的，最重要的是，千万不能让村主任背黑锅呀。

所以，春山把送羊的时间，选在了晚上。趁着夜色，春山背起那只羊，向村主任家走去。春山的脚步很轻，怕别人听见动静，春山的脚步很快，怕遇见村里的任何一个人。

虽然春山的腰弓得很低，头埋得很深，春山还是遇见了人。

人家问，春山，这么晚了，干吗去呀？春山回答，白天忙，没空，趁黑把几张羊皮卖了。

说了谎话的春山，觉得自己的腰痛。

到了村主任家，村主任拉着春山的手，让春山坐下，春山觉得自己的腰痛，怎么也坐不下。春山走的时候，村主任扯住春山的衣服说，看你这衣服，也该换身新的啦。

春山回到家，才发现衣兜里多了五百块钱。春山想，一只羊才值三百块，村主任给了五百块，这是啥事情啊。

今年，春山不准备给村主任送羊了。

春山让女人炖了一锅羊肉汤。

日当头的时候，羊肉汤炖好了，味道又鲜又厚。

第一碗，春山盛得满满的。春山端着这碗冒着热气的羊肉汤，哼着小曲儿走在村子里，春山想让村里的所有人知道，这碗羊肉汤是送给村主任的。

春山走在村子里，脚步很响，头抬得也很高。羊肉汤的味道，也随着春山的脚步在村里飘散着。

春山遇到了很多人。人家问，春山，干吗去呀？春山高着嗓门儿说，给村主任送羊肉汤去。

春山觉得，自己的腰杆，硬硬的。

呼　唤

○史金标

我是一家网吧的老板。

如今这行当可不怎么招人待见，几乎要跟赌场、色情场所什么的齐名了。尤其是那些提心吊胆的学生家长，视我辈如洪水猛兽，简直是恨之入骨了。这也是没办法的事，喝西北风过不了日子，挣谁的钱不是挣啊。不过我还是蛮讲职业道德的，譬如说，那些乱七八糟的色情网站一律屏蔽，谢绝参观。咱不能毒害人家孩子不是？咱不能坏事做绝不是？这一方面说明我天良未泯，另一方面也说明我缺乏做大事的丈夫气概。

来这里的多是些半大孩子，七长八短的，正所谓豆蔻年华，一旦上了机，就像苍蝇见了血，不玩它个天昏地暗不罢休，不聊它个地老天荒不收兵，简直就是忘我了。不准容留未成年人？那可是文件上说的，都那么听话还不早歇了！夹缝里求生存吧，点灯熬油地挣这份零碎钱真不容易。

毛头小子玩游戏，情窦初开的聊大天儿，这都是主流。偶尔也有那大老爷们儿老娘们儿光顾。就说前些日子吧，一个女人，徐娘半老了，好像就被“网”住了。那女人高挽着发髻，很有点儿风韵，刚来的时候我以为她来找孩子——这样的事常见。没想到她居然就在机子前坐下了。一看就是个生手，好像还有点不好意思，放不开手脚，捣弄一会儿就走了。后来这女人频频光顾，操作也眼见得熟练了，而且上网时间一次比一次长了起来，有时竟到深夜。我注意了一下，她在聊天儿。撇下老公孩子在这里聊长天儿，这女人许是感情上出了问题，看那年龄也正是容易出问题的时候啊。聊吧，聊吧，释放一下，发泄一下，别陷进去就好。不料正在我无谓地为她担忧时，她却突然绝迹了，以后再也没见她的踪影，也许是迷途知返了吧。走了也就走了，来的都是客啊。

网吧也是个小舞台，什么角色都有。譬如常待在角落里的那个女孩吧，十四五岁的样子，就有些古怪。我观察她有些日子了，每次来她都进聊天室，挂上个名，然后就神情木然地枯坐着，有时一坐就是两三个小时，坐禅似的。我借着溜达的空儿，偷眼看了一下她的网名，叫“小霞的呼唤”。显然她是在等人。等谁呢？网友吗？一般来说是的，这个年龄的孩子一旦陷进去，执著起来可是要人命。可神情似乎又有点儿不大像，具体哪里不像我也说不太清。等吧，等吧。

这天，女孩又来了，一如既往地枯坐了足有三个小时后，下了线，到我台前结账。

付完钱，女孩回头扫了一眼热火朝天的网迷们，神情很复杂，叹一口气，自言自语道：“最后一次了！”语气中竟有一种与其年龄不相称的沧桑。

我突然对女孩产生了浓厚的兴趣，很和善地笑了笑，问：“在等人吗?”

女孩点了点头。

我问：“等到了吗?”

女孩摇了摇头，一脸的悲怆。

我问：“网友吗?”

女孩说：“不，是我妈妈。”

我说：“你妈妈?！她，她……”

女孩说：“她跟网友走了。”女孩说着，眼泪就下来了，脸上布满了悲戚、怨恨，似乎还有一丝愧疚。

我怔了怔，不由得可怜起女孩来。女孩张了张嘴，似乎还想说什么。也许她很久没跟人说话了，很久没跟人倾诉了。我理解她那种凄苦无助的心情。厅里说话不方便，我把她请进了台后的小屋，给她倒上一杯水。女孩擦了擦眼泪，说："都怪我，都是我惹的祸！"女孩抽泣着，断断续续地讲述起来。

女孩说，她上网有一年多了，原先不在这网吧，在另一家，简直上疯了，结果学习成绩一落千丈，父母很苦恼，可是屡禁不止。妈妈大概是实在没办法了，想像不出上网怎么会有那么大的魔力，也就跟着上了。当时估计是这么考虑的，一来体会一下，摸索些经验对付女儿；二来也想借此搞一下警示教育。没想到时间不长，反倒一块儿迷进去了。前些日子，她给父女俩留下一封信，投奔网友去了。爸爸整天借酒浇愁，喝醉了对她又打又骂。她已经辍学了。小霞是她的乳名。她企盼着总有一天妈妈会看到的，会出现的，可她已经没钱了，压岁钱已经用完了。

女孩说完，早已泪流满面。我忽然有一种预感，问："你妈妈长得、长得……什么样？"

女孩说："挺漂亮的，也很会打扮，高挽着发髻。"

我一下子怔住了。

女孩走了，孤零零的身影很快消失在茫茫夜色中。我突然冒出一个念头，是不是该干点儿别的了。

ZC 相册

〇刘心武

小伙子假期跟几位“驴友”结伴下江南，一路上超快活。在苏州，逛完寒山寺，发现寺外还有个枫桥景区，就进去再寻个大快活。

发现那枫桥前方岸边，有个古人铜像。卧坐着，轻闭眼；搁在膝盖上的右手，被摸得变了颜色。见游人争着去摸铜像那只手，他和“驴友”岂甘落后，也纷纷去摸那手。想必摸了吉利。一路上，他们遇到景点若干处，塔形香炉呀、放生池呀等等，见总有人往里头抛“钢儿”，也都跟着抛；凡见别人去摸的，他们必摸。

一路照相。反正各自都有数码相机，相机电池耗尽，来不及回旅店充电，就用手机拍摄。在镜头前，他们的 Pose（姿势）一个比一个夸张，一个比一个搞怪。

那时一个旅游团过去，铜像那里游人不多了，他们可以尽兴拍照。小伙子一跃而上，跃到基座上那古人铜像的怀抱里，歪倚着，咧嘴笑，一只手还打出“V”形手势，那边一阵闪光，把他拍了下来。跳下铜像，笑作一团。

这时踱过来一位老先生，跟他们打招呼。重点瞄上了他，望着他说：“小伙子，高兴啊！”他就知道那老头儿会批评他不该跳上铜像，立马主动说：“好啦好啦，不再上去就是啦！”老先生却笑吟吟地开始跟他们聊天：“喜欢这铜像啊？知道他是谁吗？”“知道啦，古人啊，唐朝的，写诗的啦！”“我们都知道，他叫李白！”老先生笑了：“李白的诗当然写得好，可是，这铜像塑的却不是李白。塑的这位唐朝诗人叫张继。为什么在这里塑他？你们刚才哼的歌，是把他当年写的那首诗，抻面条似的变化出来的。其实他写的只有四句，非常凝练。喏，那边的诗碑上，就有他的那首《枫桥夜泊》。”小伙子说：“知道知道。能背能背。”他和几位“驴友”就试着背，结结巴巴，只有“夜半钟声到客船”一句全对。“这铜像塑得真不错。”

老先生引领他们围绕那铜像，从几个侧面指点他们欣赏。小伙子心里爱听，面子上挂不住，插话说：“我们是自由行。我最烦导游絮絮叨叨。游人有权利按自己喜欢的方式来游览啦！”可是有几位“驴友”表示愿意听老先生讲下去。老先生蔼然可亲的话语最后还是征服了小伙子。老先生说：“你们应该在这里拍照。那个旅游团的成员，有的站在铜像一侧，摸着他右手拍照，大体还说得通。诗人用手拿笔写诗，摸着他手，沾点诗味儿……可是，还有更多的方式来拍照留念。比如——”老先生拿出自己的数码相机，对小伙子说：“我给你拍张试试。拍好拍坏我都会当你面删除的。不过，要是我拍出的这个画面你喜欢，那我就用你的相机，给你拍下来。”老先生建议小伙子站到铜像右侧，望着诗人，启发他跟诗人进行超时空的心灵对话：“您为什么认为江枫和渔火是在‘对愁眠’？那寒山寺的夜半钟声，为什么让您那么忧郁？人生除了享受快乐，难道咀嚼忧郁也是一种精神生活吗？”

不知不觉地，照片拍下来了，拿给小伙子看，众“驴友”也围上去看。小伙子不想说什么，只是心里有丝丝缕缕异样的情愫旋动起来，那是他之前生命不曾有过的体验。老先生把他那相机里的试照删了。“驴友”们纷纷按照老先生建议的路数用各自相机拍了照片。到最后，小伙子才把自己的相机递给老先生，说：“您给我拍吧。”老先生拍完，在跟他们道别前又柔和地说：“到这种名胜古迹参观游览，谁也不可能把其中的历史、文化积淀一次性汲取完，但总归还是多少能让心灵悟到一点什么为好。另外，提个小意见。你们之前照相，总喜欢摆出个“V”形手势。“V”是英文 Victory 的简写，表示胜利。可是，参观这样的地方，包括欣赏自然风光，并不是打仗、竞技，为什么非摆“V”形手势呢？我还注意到，你们原来几个人合影的时候，有的人是手背朝外打出“V”来，哎呀，在英国、澳大利亚、新西兰，那可是侮辱人的手势，形同骂人啊！年轻人，别生我气啊！萍水相逢，咱们今后可是要相忘于江湖哇……”

小伙子旅游回京，这次在遇见老先生以前拍的若干照片，只打印出了那张倚在铜像怀里摆“V”形手势的，其余的全删除了。又从以往相册里拣出了一些，合并到一个相册里。本来想在扉页上写下“知耻相册”四个字，想了想觉得这个隐私还是更稳妥地保存起来为好，最后就写成了“ZC相册”。他想，自己有了时时翻看这个相册的勇气，标志着自己在走向成熟吧。

阿　翠

〇刘会然

我们全家外出旅游一回来，邻居就给了我一个沉甸甸的蛇皮袋，说是一个中年农村妇女留下的，托我一定把它交给你们。

是她，一定是她回来过！

她是老乡阿翠。阿翠闯入我们的生活还是6年前。那时，阿翠在我们这座城市一个建筑工地帮人看管杂物。由于老板拖欠了工人几个月的工资，她便和几个工友来我工作的报社反映情况。报社安排我负责接待他们。阿翠见到我就问，你是刘村的阿然吧，在家里的时候就听人说你在报社工作。阿翠说她是杨家村的。

阿翠的问题第二天以记者调查的形式见了报，很快阿翠就拿到了拖欠的工资。几天后，阿翠和几个同事买了一些苹果，找到我家里来说是表示感谢。远在距家乡千里之外的城市工作，我数年没有听到过乡音了。阿翠用家乡话跟我聊起了家乡的情况，她的到来使我备感亲切。离开的时候，我礼节性地说了句：有时间过来玩。

于是，只要有时间，阿翠就来我家玩，有时纯属为了叙叙旧，因为在这座城市里，她和我一样很难找到能说家乡话的老乡。有时阿翠来帮我家干一些体力活儿，那阵子老婆怀孕，家里正缺个帮手，阿翠为我们减轻了不少负担。

我从阿翠的言谈中得知了她的情况：阿翠嫁到邻村并生了两个孩子，

丈夫帮一公司开货车，前些年日子过得还不错，后来丈夫由于车祸离她而去。为了供养孩子读书，阿翠不得不出来打工，两个孩子留给年迈的婆婆照顾。

我对阿翠充满同情。妻子也同情阿翠，但妻子从小生活在城市，体会不到阿翠的艰辛。我想请阿翠作我们孩子的保姆，但妻子嫌乡下人文化低，带不好孩子。

阿翠后来在一家餐馆找了份洗碗的工作，可老板总是拖欠工资。由于需要日常开支，阿翠经常向我们借几块或几十块钱，最多的时候也不超过一百块钱。我也很乐意借给她，因为等发了工资阿翠就会立即把钱还给我们。

那次阿翠匆匆忙忙地跑到我家，说家里大孩子病了，住院动手术需要钱，她羞涩地要我借给她 800 元，说等发工资就还给我们。我深表同情，当时 800 元钱是我一个月的工资，但我还是毫不犹豫地把钱借给了她。

钱借给她后，她就再也没有来过我家。妻子忍不住怪罪我：我早就怀疑她是骗子，她会这么热心给我们家里做事？鬼才相信有这样的好人。

我对妻子说，以前人家借了不都还了吗？

妻子愤愤地说：她就是利用我们这种心理啊，这种骗钱的伎俩现实生活中太多了，亏你还是在报社工作的，哼！

从此我们真的没有见到过阿翠，有几次路过阿翠曾经工作过的地方，也没有见到过她。后来听店里一伙计说，不知道什么原因，有一天阿翠跟谁都没打招呼就匆匆离开了……

打开蛇皮袋一看，在一些松果、薯条等农产品中夹杂着一封信，信封里装着 8 张崭新的百元钞票，信封的背面写着数行歪歪扭扭的字。原来 6 年前她的不辞而别是因为医院说孩子得了白血病。虽然她匆匆忙忙地赶回了家，但因为无钱救治，孩子已随丈夫而去。她说那时真的想再次向我借钱，但怕还不起就没有再开口。现在她和那个小的孩子相依为命，为了还这800元钱，她和孩子整整省吃俭用了6年，现在钱还了，她悬着的心也放下来了……

我和妻子都朝老家的方向远望，但钢筋水泥垒就的大厦一层层把我们的视线阻断，我们看到的只是狭小的一线天。

不知何时，我发现妻子眼里早已噙满泪水。

唐 模

〇郭凯冰

教授汉语言文学的老师是个苏州女子，那次正在讲台前收拾讲义，一双手拿着作业本伸过来。老师抬头看看，忍不住说，你这女子，真要迷死人的啊！这个女子是唐荔枝。

唐荔枝成为唐荔枝之前，喜欢过一个美术教授，那美术教授当然也喜欢她。谁能抵抗得住唐荔枝的喜欢呢。一米七的个子，窈窈窕窕，低首婉转之间，是把人的心都要提溜起来的。

美术教授喜欢画古典美女，画的好不好呢，唐荔枝不知道。不过她喜欢那些静静坐着或者立着的古装女子。

美术教授第一次看到唐荔枝就说，你有一双好手模呢。当然他想说别的，譬如唐荔枝的身材，唐荔枝的颈项，唐荔枝的胸。想了想，当然只有赞美唐荔枝的手最合适。这句话，让唐荔枝对自已的手倍加呵护起来。唐荔枝是不需要在脸上涂抹的，素面朝天的唐荔枝很有这个自信。她将这涂抹的心思都用在手上，周末用蜜和蛋清搅匀做手膜，晚上临睡前抹上护手霜轻揉。平日里，五指不停上下翻飞，据说这样最能将手锻炼得富有骨感。

唐荔枝不想迷死别人，只想迷死美术教授。唐荔枝这么想，美术教授就很容易地摩挲住了唐荔枝的手。这手又在美术教授画笔下生了魂魄，落在宣纸上。画中人便更有神韵。

美术教授后来继续探索，他摩挲了唐荔枝的颈、脸，手落到她挺直的鼻梁上。美术教授说，你无一处不精致，只是这鼻梁，按照美学观点，有些过于挺直了，消减了柔媚。唐荔枝咯咯笑，说，我妈给我算命，算命先生说这鼻梁保佑我呢。

是一个周末，美术教授在窗前，对着唐荔枝画国画。后来，窗帘不知怎的拉上了，美术教授的唇，轻轻触上了唐荔枝的额头、眉毛、眼睛、鼻梁，唐荔枝一阵心醉。钥匙响了，门开了。门外站一美丽女子，竟是美术教授的妻。可前一天美术教授还告诉唐荔枝，他已经离婚了啊。

唐荔枝葱根玉手一下子甩过去，教授脸上爬了五根蚯蚓。唐荔枝的手没有白白翻飞啊，真够劲道。

一年后，唐荔枝被京城一家著名的模特公司录用，成了模特。后来，参加全国模特大赛，唐荔枝一举夺冠，成为国内名模。再没有人记起她原来的名字，她只叫唐模。

唐模是很有个性的模特，只表演露出小腿以下、锁骨以上的服装。许多设计师说，唐模这是暴殄天物，好条件白白浪费啊。

唐模后来遇到很多次求婚。

唐模问局长甲：你为什么爱我呢？甲深情款款：你无一处不美。那你说说我到底美在哪里呢？你身材美，手美，脸型美，眼睛眉毛嘴唇，都美！唐模殷殷问一句，还有呢？还有就是你的心美！甲在心里很为自己的脑筋急转弯得意，只是没有表露出来。唐模笑笑，迈着猫步走了。

唐模问名导乙：你为什么爱我呢？乙欣赏地盯着她：因为你是个很会利用自己价值的女子。唐模笑了，那你说说看。乙很自信，你对表演服装的挑剔，就能说明一切。唐模笑笑，迈着猫步离去。

有一次，一个富豪爱唐模爱得不行了，没经过唐模同意从身后抱了她一下。她转身，抬手，一个耳刮子甩过去，那清脆的响亮，压住了大厅里所有的喧哗。

唐模二十八岁这年，跟一个加拿大人结了婚。就有很多人骂唐模，中国男人都死绝了吗，嫁个外国人。真是个贱人！

婚礼上，一个男人问加拿大人是怎么把唐模俘虏的，加拿大人说不知道。就又问，她有没有问你爱她什么？加拿大人虽然不高兴别人探听隐私，但婚礼上无大小的风俗他知道，就说，问了。那你怎么回答的？众人很急切，本来一个人问的第一句，到这里，却有十几个声音不约而同响起。

加拿大人耸耸肩："我说她的手很有劲儿，还说，我们都有挺直的高鼻梁。"

老师，你好

○韩昌盛

电话铃响的时候，我吓了一跳，我正在午睡。

那声音不高，老师，你好。我问哪位。他很高兴似的，我是你班上林强的父亲，我想问一问他的情况。我坐起来，告诉他林强成绩很好，思想也很稳定，正在稳步冲刺。手机那头很兴奋，谢谢你，老师。

我告诉林强他父亲来电话了，他“嗯”了一声说，好长时间没打了。

过了两天，电话又打来了，我还是在午睡。我开玩笑地说，能不能换个时间。老林嘿嘿地笑着，老师，你好。我说你拼命挣钱吧，孩子挺好。他说那就好，不过老师你看严点，他有时好背着大人调皮捣蛋。停了一下，他又说，这是老板的手机，只有中午吃过饭他才借给我用一会儿。我嗯了一声，那就挂吧，长途挺贵的。

我没告诉林强，高考前的日子需要平静，在平静中积蓄力量。后来电话经常打来，总是在我午睡时，开头总是老师你好，然后问问情况。我告诉他很正常，在向大学慢慢走近。他便高兴，连声说谢谢。不知为什么，我加上一句，老林，你也要注意身体。他非常激动，我身体好着呢，工地上伙食不错。

离高考愈来愈近了。我的手机不断响起，都是家长打来询问情况的。老林也不例外，说过老师你好，就问儿子的身体能不能撑住。我说没事，食堂伙食很好。过了一小会儿，他很客气地说，我从老板那儿支了一百块钱寄给你，你命令他加点营养。

林强很听话，拿着钱走了。走了几步，又转身问我，我爸有没有说他什么时候回来？我想了想，有，准备等你考上大学他就回来。林强点了点头。

高考前一天，老林又打来了电话，老师，你好。我说，下次就不要客气了。他焦急地说，不客气。我想拜托你多照看一下林强。我肯定地说我会，对每一个学生都这样。那头有些急促了，不是，老师，林强睡觉喜欢蹬被，着凉怎么办？顿了一下，他接着说，孩子没有了妈，我又在外头……我沉默了，然后告诉他，我会特别照看的，你放心。

老林不放心，每天中午都打来电话。我说，你老板不生气啊？他憨憨地笑着，老板的儿子也高考，还让我多打一会儿。我说林强他们都在午睡，你就静等好消息吧。

6 月 25 日，高考成绩发布，他的电话准时打来了。其实我已经在等他了。老师，你好。他还客气着。我说，你儿子上线了，上了重点本科线。电话里一下子安静了，过了好几秒，他才连声说那太好了太好了！

整整一个月没打来电话，也许在充满喜悦地忙着做工挣钱吧，我想老林的日子这下有盼头了。临近 8 月，老林的电话又来了。他很激动，你好，老师，通知书有没有到？我也很激动，省城，师范大学。他说师范好啊，将来做一个像你这样的老师。我笑着问他还有什么事，他突然想起了什么，学费多少？我说不太多，四千多元，凭你这长年在外的劲头，不成问题。

电话里没有老林的回答，挂了。

8 月的阳光很热，金榜题名的同学热情的温度更高，不断有人来请吃饭，我不断地拒绝，但心里仍然很感动。可林强呢，自从拿了通知书就没有消息了。

老林的电话在这时恰好又打来了，依然是低沉的声音，老师，你好！

我说你也好，学费该凑齐了吧？他迟疑了一下，老师……又没有声音了。难道林强有什么意外吗？要知道他的成绩是我班上的第二，我催促他快点说，他终于说了，老师，我想跟你借五百块钱，就五百！

我犹豫了一下，我说好吧，但你在外两年多了应该有钱啊。

是老板没发工钱。他压低声音说，我挂了，谢谢你啊，老师。

我和爱人商量了一下，决定借给林强一千块钱，也许能多解决点儿困难，他是一个有出息的好孩子。可我很生气，老林的老板能借手机给工友用，怎么就不发工钱呢？我翻到那个熟悉的号码，拨通，有人接了，我准备好的话倾泻而下：你像一个老板吗？加班加点地使人，还扣着工钱不发，你还有没有良心？你不知道老林的儿子有多优秀，你这样做差点毁了他……我又提高声音说，你凭什么这样做，你就不怕法律吗？我把最近几年对克扣农民工工资现象的不满都送给了他。奇怪，他没有还击。

他终于开口了，老师，你好。我吓了一跳，他很有涵养啊。谢谢你对老林的关心。他的声音中没有愤怒，我实话告诉你吧，我是一名监狱长，老林在工地上犯了事，在我们监狱服刑。考虑到林强高考，我们才允许他和你通话了解孩子的情况。顿了一下，他又说，过两天我们把队里的捐款汇给你，麻烦你转交给林强同学，并告诉他，老板扣发的工钱兑现了。

我的心里猛地一颤，半天都没有说出一句话。

接着是老林和我通话，开头依然是一句亲热的“老师，你好”。我很真诚地回了一句：你好，老林。就像老朋友似的，非常自然、亲切。

情人节不死是为神

○蒋方舟

记忆犹新的农历丙戌年（2006年1月29日~2007年2月17日），算上七夕，一共有四个情人节。那一年，我的同桌一共收到了四只毛绒熊，它们很明显是熊的一家——熊妈妈和熊爸爸生了一对双胞胎。这一家人被拆成四份礼物，直到年底才合家团圆。她愁容满面地望着四只巨大的熊，每一个都丑得让人眩晕。

这件事令我十分震撼，内心泛滥起汹涌的同情。我不是同情我的同桌，而是同情送她礼物的男朋友。我想，每隔几个月就来一次的情人节，一定成了他的精神负担。他年初采购情人节礼物的时候，一定是接近崩溃和失控的边缘，绝望地抓起任意一件含四件及上面标着“家庭超值特惠装”的物件。

我那时很轻率地想：我才不要过这个形式主义的节日哩。上了两年大学，情人节果然不是我的节日，只有一次“被模拟过节”。

我选了一门《心理健康》的课，其中有一节课分组活动，每个小组选一对男女模拟情人节场景，然后下次上课时上台表演。我“官方配置”的男朋友是个淳朴害羞的、脸好长好长的理工男，他埋头狂写，为我策划情人节的惊喜。

我满心忐忑地看着他，看到他额头上满是汗水和毛细血管爆裂的印痕，并且开始列出很长的数学算式来。过了很久，他憋红了脸抬起头问我："同学，请问你需要什么样规格的情人节?"

我被问得愣住，下意识地双手比出足球大小，说："大概这么大吧。"他说："不是，我问的是你需要多少钱的情人节方案？——不花钱的，中等开销的，十分豪华的还是倾家荡产的?"

我的心被我的假男友深深伤害了，我心里大声怒吼道：浪漫怎么能拿金钱量化？但表面上仍好脾气地讪讪笑道："中等偏低水平——我们还留钱过日子呢。"

我有生以来的第一个情人节，严格说起来，是一张写在物理演算纸背面的财务开支报表。

每年情人节，网上都会出现很多新闻，说又有大学生为了浪漫情人节卖血狂打工，新闻是真是假也不知道，只觉得那些警语实在声嘶力竭——情人节也要理性消费啊！网上甚至还有攻略，教人怎么分别用 1 元钱、10 元钱、100 元钱……过情人节。于是，我得到了一个根深蒂固的偏见——情人节，劫情人。原来这是个经济学领域的课题。这是对有情人而言。对没情人来说，情人节是个研究变态心理学的最佳契机。

我一向乐观地无爱一身轻，有粥万事足，但是到了每年情人节那天仍然特别紧张。那天我根本无处可躲——我怕撞上甜蜜的有情人，女生幸福地捧着玫瑰花或者被男生背在背上，他们目光与我对视上，我一不小心就会被他们擅自发射的同情目光击中；我怕遇上孤单的没情人，那时我就被迫做感情社工，来来回回说那些不咸不淡的劝解，有时候还要被迫陪着高唱《单身情歌》和《一个人活了半辈子没人爱》等十分丢脸的歌曲；我最怕遇到的，是在这一天深受刺激、决心从没情人变有情人的人，他们在这一天仿佛是灾难前的昆虫，烦躁地出洞暴走，急得团团转，想把每段纯洁的男女关系变成纯男女关系。

情人节是经济学，是心理学，就是不太关乎爱情学。爱情的本质是什么？爱情的本质是迷狂不知所终，混沌不知所以，因为那时人的大脑浸在多巴胺、去甲肾上腺素和苯胺混合物里，不知今朝何处，今夕何年。大部分的情人节如此难挨，是因为有那么多对甜蜜的期待和压力，脑海中有个播报员每隔五分钟就提醒："May I have your attention，please！请立即将浪漫指数调高百分之十……"情人节整整24个小时，时针一点点不紧不慢地挪动，这天是一场如此漫长的清醒，让每个顺利通过的人边擦汗边感叹"哎哟妈呀"。

如果情人节变成奥运会那样，四年举办一次，每次只得烟花绽放般短短数秒，普天拍手同庆一小会儿就作鸟兽散，世界会不会更美好？我也不知道。你只当这是一个没有"被情人节"过的人的瞎想。

同　醉

〇严　苏

这是一个真实的故事，故事的主人公是我的朋友。

我的这个朋友在一家工厂当工人，十多年前，他还是个小伙子。那是一个星期天，早晨起床后，朋友感到闲得慌，他想今天得做点儿什么，他跑进厨房，简单地吃了一点儿东西，从卧室里推出刚买的凤凰自行车，飞身上去，风驰电掣般地跑到同事家。同事看到他的新车，脚底发痒，很想过一把新车瘾。同事的心思都在眼睛里写着，他一眼就看出来了。于是说，我们郊游去吧，你骑我的车。同事乐得合不拢嘴，鸡啄米似的点头说，那敢情好！他们出发了，同事骑他的新车在前，他骑同事的旧车在后。他们先小路，后大路，又小路，同事过足车瘾，双手一捏车闸，新车如战马般"嘎"地站住。他们抬头一看，才知道早就出了城，已到了洪泽湖边。这时俩人的肚子叽叽咕咕地乱叫。显然，现在赶回家去是迟了。同事建议到老乡那里去吃饭，大不了付一点儿饭钱。他点头表示同意。

他们就近到湖边的一户人家去，这家人刚生火做饭。庄户人大方，不肯收他们的饭钱。女主人揭开锅盖，往锅里"哗"地倒进一瓢水。她说，要啥钱呀，不就是一瓢水。于是他和同事就将钱收了起来。

吃饭时，两个孩子像小燕子一样从外面欢欢地扑进来。孩子惧生，他们见到城里人，吓得头都不敢抬。同事看看孩子，随口问，读书了吗，几年级？

女主人用嘴努一下小男孩说，刚读一年级。

同事紧跟着问，大孩子几年级？

女主人很为难，犹豫半晌才说，她没读书。

朋友看一眼女孩子，估计在十岁左右。他脱口问，为啥不读书？

女主人叹息一声说，女小囡不金贵，最主要的是她爸身子骨不硬朗，俩娃儿都上学供不起呀。

他们这才仔细打量男主人。男主人满脸菜黄，神色恹恹。

弄明情况，朋友心里沉甸甸的，责任感种子发芽般地拱破心土，眨眼就茁壮成一株幼树。他一字一句地对女主人说，让她读书吧，费用我来出。

为了践诺这短短的一句话十个字，十多年来，每个学期开始，他都给女小囡汇钱。开始是50元，后来随着物价的上涨、女小囡学历的增高，钱也不停地增加，100元、200元、500元、1000元……难能可贵的是，朋友娶的妻子对丈夫的义举也很支持。女小囡很珍惜自己的人生机遇，去年以高分被省城的一所重点大学录取。女小囡去大学报到的前一天，女小囡的父亲为感激朋友多年来对他女儿的帮助，带着一家人到城里订了一桌酒席，宴请朋友一家。两家人在酒店刚见面，女小囡“扑通”跪到朋友夫妇面前，刚叫一声爸妈，喉咙就哽得说不出话来。朋友被眼前的场面惊呆了，一时手足无措。他的妻子也很激动，抢前一步，一把拉起女小囡，双手捧起她的脸，说，让妈好好看一看我的好闺女……说着自己的泪也下来了。别人会把这泪看成是高兴之泪，只有朋友清楚他的妻子为何流泪。她已下岗两年，对她和他们的家庭来说，目前最最需要的就是钱，而他们却要把本来就很紧张的钱挤出来支援他人……

两家人坐下来，一边有叙不完的情，一边有敬不完的酒。两个男人本来就不胜酒力，你来我往，不一会儿都喝醉了。

西　哥

○左　道

一入大学，众兄弟皆按寝室排了座次，以后便不唤全名，叫做大哥、二哥、老七、老八。显得混合。然后是学兄们例行公事般过来看看，说说系里的趣事，白话起来个个争先，唯恐在学弟面前露了怯。

有人问起哪位教授讲课好时，皆答赵大西——幽默，上课不困，和学生处得哥们儿一般。大家就说想听他的课。学兄道：还早，他讲元明清文学，最后一年。

原以为上了大学便轻松了、解放了，没想到才离虎穴又入狼窝，系里派来个辅导员恶狼一样，像管小学生般，迟到、早退，早操、晚自习，事必躬亲，稍有反抗便威胁说不给你及格。

尤其请假，谁也不行，啥事也不行。他说：爹妈死了重要还是学习重要？我父母去世，我都没回去。大家心里暗骂，背后联名上书系里，一去无音。

有几日不见"恶狼辅导员"来，正在揣度是怎么回事，进来一位年轻的黑黑大大的先生，道：鄙人赵大西，你们的新辅导员，大家可以称我赵老师，也可称我老赵，也可称我西哥。

小子们一通鼓掌，说叫西哥亲切。以后除了几名女生，都把他唤做西哥。

西哥上任，先不管理，而是和大家打扑克、喝酒。等关系融洽了，便把道理讲给大家，号召大家好好学习，只要学了，考试不成问题，不行我老赵亲自为你们疏通。然后问：我说这够哥们儿够意思吧？大家鼓掌，说：太够意思了。于是凑份子请西哥小酌一下。不几天，系里容貌大改。

西哥万般皆好，只是恋杯中之物。有时贪杯，总误小事。一日，系里老六撞见西哥摇摇晃晃，便问：西哥去哪儿？西哥便停住脚说：让我想想，我刚才想去哪儿了呢？哎呀，去接孩子。老六见西哥喝成这样，便一同去。果见只剩赵家小子一个人在幼儿园，阿姨下班了，只一更夫陪伴，孩子见西哥哇哇大哭。

老六背了孩子，到西哥家门口，正欲放下，西哥道：你一起跟我进去，免得我挨骂。

老六便进去了，见到西嫂粉面含霜，碍着老六不便发作。煮了两碗方便面，自己一碗、儿子一碗。西哥吐了下舌头：没饭吃了。老六便请他出去醒醒酒，小喝一杯。

喝完夜半，老六待要送他。西哥答：不用，一个大老爷们儿这点事儿摆不平？

老六便回，走在路上，只听得西哥嘭嘭的敲门声，直至我进了寝室，还嘭嘭作响。

第二日老六问之，西哥拐弯抹角地不答，以致“此案”成谜。

西哥本是个做学问极好的人，只苦了他肚皮。当老师一年喝不上几回大酒。有时他当记者的夫人也带他出去采访，假冒记者混酒，居然像模像样，而且趁着酒劲儿替夫人写稿，篇篇得到社领导表扬。

况且他教的弟子中不少挺有出息，在地方上皆混得有头有脸。有时请他过去消遣，吆五喝六好不威风。

西哥便起了改行之意，而且就当记者，别的不说，酒局子多矣。一次市报招聘，西哥背着系里应聘，笔试第一，被录取为记者，因原来为副教授，不久即升为主任。

进了报社的西哥如鱼得水，文章好、酒量大，酒桌上最后往往是东倒西歪一片，只有西哥等一两个满面含春，和风细雨地正用啤酒透一透。

西哥凭着文采和酒量渐成小城名记，迎来送往，酬酢之事不断，西哥也仿佛找到了做人感觉。

正当他感觉找到时，他夫人则厌倦了这种生活，改行进了机关，日出而作、日落而息，过起了正常人的生活。

不几年，西哥顿觉酒量下降，肝儿却见长，欲戒酒。友人告曰，不改行难戒。

西哥便托关系回师院当教授。中间人回道：不成，人是奇多，编制奇缺，你这后半辈子当不成老师了。

西哥道：罢了，接着喝吧，多大个事儿。

炊烟

〇王　往

在平原上，村庄都是一排排的，炊烟升起时，也是一排排的。

绿树掩映的村庄上空就有了竖排的古体诗。

炊烟是村庄的发丝，是亲人的手势。

即便是一条狗，当黄昏来临，也知道抬起头，看着村庄上空的炊烟，略一愣神，向家的方向快步走去……

铁慧早就想家了，她的心被炊烟牵扯着。

她想爷爷。

铁慧的命，是爷爷捡回来的。她生下来的时候，不哭。接生婆提着她的腿，对着屁股猛拍了几下，还是不哭。喂她奶，吸了一口，就呛出来了。接生婆和她妈商量说，扔了吧。她妈就说，扔了吧，留着也是受活罪。

那天爷爷拾粪回来，听说接生婆抱了孩子去了坟地，立马就跟上去了。爷爷的手放在孩子鼻子下，还有气。爷爷就狠狠瞪了接生婆一眼，爷爷说，你要遭雷打呀！就把铁慧放到粪兜，背了回来。

铁慧的父母因意外事故去世后，铁慧就和爷爷相依为命了。

铁慧读到初中毕业，没考上高中，铁慧很伤心。爷爷说，考上学校的要吃饭，考不上的就不吃饭了？在家，帮爷爷干活儿，也照样过好日子。

村里的女孩打工回来，打扮得花枝招展的，带回的男朋友也一个比一个俊。铁慧也想出去。爷爷听了，说不放心。铁慧就有些赌气，躲到屋后的树林里流泪。

爷爷说，实在想出去，爷爷也不拦你，进城以后要勤快，要本分，不要拿人家一针一线。有人欺负你，告诉爷爷，爷爷谁都不怕，爷爷上过朝鲜战场打过美国人。铁慧说，爷爷你放心，铁慧不给你丢脸。

到了集镇口等车的时候，铁慧一句话也不说。爷爷说，不想去的话，就不去了，爷孙俩在家也好。铁慧哭了。车子来了，铁慧还是上车了。铁慧朝爷爷挥手，爷爷却背对着她。爷爷短短的白发像灶膛的灰烬。

铁慧去淮安学会了电脑，开了打字社，但是生意并不好，另外一家打字社一个叫小如的女孩约她去广州，说那里生意好，她们就结伴去了广州。

和小如到广州后，铁慧在一家私人打印社打字。铁慧一个月只能拿五百块钱，工作量却很大，有时晚上加班到十一二点，没有节假日。半年以后，铁慧认识了赵龙云。赵龙云是大学生，从内地来广州找工作。他常让铁慧给他打求职资料。赵龙云投出去无数份求职资料，都石沉大海了。一天，赵龙云又来复印求职资料。他压低声音对铁慧说，靓妹，能不能欠一下账，我一分钱都没有了。铁慧看着他涨红的脸和额上的虚汗，心软了。她说，你拿走吧，我给你垫上。十几天后，赵龙云来了，约铁慧吃饭。赵龙云说我现在在一家房产公司任经理助理，每个月六千多哩。铁慧没有和他吃饭。爷爷说，在外头，不能贪小便宜。可是，赵龙云总是来找她，说他是真心喜欢她的。铁慧的心里泛起了涟漪。

可是，时间不长，赵龙云便不再理她了。赵龙云说，恋爱，要跟着感觉走，我已经对你没有感觉了。好聚好散吧，在我们这个阶层就没有天长地久的事。这个当初几块钱也拿不出的东西，开始以“阶层”来分人了。小如说，铁慧，不要便宜他，和他闹，就说怀孕了，要他赔钱。铁慧默默地摇摇头。

有一天，铁慧在小如给客人复印的一张纸上看到了一首长诗，叫《大堰河，我的保姆》，读着读着，突然哭了。她想起了爷爷。哭了一阵，她才想起，这个叫艾青的作家，在初中时好像学过他一首诗，叫《黎明的通知》。他已经好大岁数了呀，和爷爷差不多，怎么写的诗让自己伤感呢？她又一次捧着那诗歌读起来。读完了，她找来纸笔，模仿着那诗写道：有一位老人，是我的爷爷。他的名字就是生他的村庄的名字，他是战士，老战士，是我的爷爷……

写完了，那张纸也湿了。

她当即就决定回家，回到她的大平原。

爷爷说过，一个人离开老家，就像炊烟被风吹散了。可是，不管是谁，哪怕是一个讨饭的，只要他家里还有一个亲人，他就不会被老家忘记。老家就是灶膛的灰烬，烟飘散了，烟味还留在家里。

晚上，铁慧非要和爷爷钻一个被窝。爷爷说，死丫头，你多大了，还和爷爷睡一起。铁慧说，谁叫你是爷爷的。铁慧把爷爷的脚抱在怀里，爷爷也去挠她的脚心，痒得铁慧咯咯笑。小时候，爷爷经常这么逗她的。爷爷问她，这下去不去广州了？铁慧说，不去了，要在淮安找一份工作。爷爷就说，是嘛，炊烟飘散了，灶膛的灰还在。说了这话，长时间爷爷不作声。铁慧起身，爬到爷爷那头。爷爷的脸上爬满了泪水。铁慧紧紧地搂着爷爷。

铁慧陪了爷爷几天，铁慧对爷爷说她想去城里找一份工作，把爷爷接到自己身边。

爷爷说，现在不去，等你成家了，我去。铁慧说，你知道我什么时候成家？爷爷给提醒了，说，是呀，什么时候成家？爷爷请人给你提媒去。西庄你二婶会说媒，我这就去找她。铁慧说，爷爷，你真是老战士，行动快。爷爷笑着走了。爷爷一走，铁慧就忙着去煮鱼汤，鱼是爷爷前几天捉的。

铁慧刚烧了两把火，爷爷就回来了。

铁慧说，这么快？爷爷说，我没碰见你二婶，我回来喝鱼汤了。

其实，爷爷是没去。爷爷走到半路，停住了，他想，铁慧这么有能耐，又好看，她二婶也没见过什么世面，怕介绍不到什么好对象。铁慧要是为了我高兴，勉强同意了，不就委屈她了？人老了，可不能糊涂。叫她自己谈。

铁慧问爷爷，你怎么知道我做鱼汤了？

爷爷说，怎么不知道，我看见屋顶上冒烟了。

8 号发型师

〇韦　名

“先生，请问，洗完头后剪不剪发?”

“剪。找 8 号剪。”

“8 号换人了。您找原来的 8 号吗?”

“8 号呢？走了?”

“没走。”

“那就找他剪吧！你看看前面有几个在等。”我问洗头工，“他现在是几号?”

“你到时看他的牌子就知道了。”洗头工卖起了关子。

在这家叫巧手的美容美发中心，我第一次来剪发时，8 号带蜜的话和狡黠的笑给我留下了深刻的印象。此后几年里，我几乎都到这家美容美发中心，都找 8 号剪发。

一头旋涡式的卷发染成了金黄，穿着花里胡哨的衬衣解开了两个纽扣，牛仔裤打了几个洞，戴着大手箍，夸张奇特的穿戴。8 号给我的第一印象很前卫。

“这是一种时髦。你要当发型师给人家设计形象，自己却土里土气，谁会找你?”8 号这样理解他的标新立异。

我虽然不甚喜欢 8 号的标新立异，但显然习惯他嘴里说出来放了蜜的话。仔细一听，又感觉他嘴里是放了蜜蜂而不光是纯粹的蜜，说出的话很甜，又偶尔会不经意蜇你一下，让你痒痒的。

"老板，你穿这衣服，显得很庄重，看上去很有气质。"

"靓仔，红光满面的，是不是泡到靓妞了？"

"靓女，越长越漂亮，爱情滋润了吧！"

…………

8号第一次给我剪发，差不多剪好时在我耳边说："大佬，我当了10年发型师，现在食艰难，以后来这里剪发，多帮衬我。记住了，我是8号发型师。"

第二次到巧手美容美发中心，我点了8号。

"大佬，徂久不见，怪想您的。"8号把我当成老朋友一样。

"您天庭饱满，两腮潮红，可不是一般的人哦！"8号带蜜的话又来了。

挨着8号的7号发型师剪完发走开了，8号悄悄对我说："1号2号刚从乡下来，小农意识，剪的发很土。3号4号基本功不扎实，不知道剪发的深浅。5号6号虽然来这儿时间不短，但经常闹笑话。7号……"

7号发型师回来了。8号赶紧改口说："靓仔就是靓仔，头发怎么剪都漂亮。"

再去剪发，8号一番甜话后对我说："大佬，您的白头发不少，该染一染了。"

我很厌烦一去剪发，那些理发师活没干倒先劝你电发染发。8号却不同，前几次只字不提染发的事，这次说了，我并不反感："男人有点白头发才有成熟感，懂不？"

"染染年轻几岁，靓女都多看您几眼。"8号不放弃。

我不同意染发。8号见我态度坚决，事后再也没提过。往后给我剪发，都因后面等他剪的人多，手脚很快，三下两下搞掂。

"来啦，大佬。好久没帮您剪发了。"一会儿，8号从二楼下来，热情地和我打招呼。

剪了个分头，染了淡黄头发，一袭白衬衣，一条黑西裤，8号突然变成了一个中规中矩的白领。

“你怎么变成了这样？”我忍不住笑。

“没办法啊！不习惯吧？”8 号笑得不自然，却很沉稳。

“当了店长了？”我再一细看，发现他原先戴的“8 号发型师”的笑脸牌子不见了，换上了一块白底红字的“店长”牌子，“恭喜，恭喜。”

“这个月老板新开了家店，原来的店长去了新店，我跟这个老板 3 年多了，这不，让我帮他管这家店。”

“对我这行头不习惯？我原来的打扮太靓仔样，说话没威信。其实我都这么多岁了。”8 号伸出 3 只手指，“大佬，发型师的年龄和女人的年龄一样是秘密，可别说出去啊！”

8 号露出了与他的打扮和年龄不相符的狡黠的笑。

“当了这么大的美容美发中心的店长，还给顾客剪发？”

“不剪了。您是老熟客老朋友，只要有空，我一定亲自给您剪。”

“介绍位发型师往后帮我剪发吧，不难为你。”8 号当了店长，自然不好意思老打扰他。

“1 号 2 号剪得大方得体，3 号 4 号善于跟潮流，5 号 6 号认真，7 号 8 号心思巧……”8 号找到了当店长的感觉。

这一次剪发，8 号显得格外认真。可他不得不经常停下来，一会儿接电话，一会儿吩咐这事那事……每次被打断，他都歉意地说“不好意思”。

好不容易剪完了，他左端详右端详，完了才如释重负般说：“好了。”

说完，8 号好像记起什么，从口袋里掏出一张优惠卡，悄悄塞给我：“老友当店长了，多多关照。”

埋单时，有优惠卡，38 元省 1 元，心里像吃到了 8 号带蜜的话，甜甜的，又像被蜇了一下。

1 元也是人情。往后我还是几乎次次到巧手美容美发中心剪发。虽然不是找 8 号剪发。

破烂皇帝

○段晓东

他是“破烂皇帝”，我是“破烂王”。别人称他“破烂王”，我尊他为“皇帝”。因为我姓王，别人称我也是“破烂王”。可是我收的这一丁点破烂哪里配得上称“王”呢！我收到的东西都卖到他那里去，还有就是他看我可怜，让我在他那里落脚。

这样，可以节省下几个店钱。

我和他本来并不认识，我在农村，他在城市。但随着我们村子里的土地一天天减少，我们的相识却成了必然。

他知道我是带着任务来到城里的，我要找到我心目中的青天，向他亲口反映土地的问题。他是一个不坏的家伙，曾经有人企图雇用他，让他监视我。他不仅没有受雇，反而提醒我行动小心些。

昨天，我第一次成功进入青天所在的小区里收购破烂，不仅一无所获，反而带来了无尽的烦恼。卖破烂的女人送给我一筒高级茶叶，我没舍得独自享用，拿回来送给他，却不料在茶叶筒的夹层里发现了上百万元的存折。

我无法不震惊，更因为存折上的名字赫然就是青天的。

我怀疑小区里有两个同名的人。

可是，就在刚才，他通过关系已经打听清楚了。我收购废品的位置和出售废品的女人，一个是青天的家，一个是青天的老婆。

他说，你还准备找他反映问题吗？青天怎么会有这么多的钱，还藏在一个茶叶筒里。你想想去向他反映问题还有没有意义？

我不知道。长期以来，青天就是我继续留在这里的最后希望和理由，而这筒茶叶把我心目中的神无情地粉碎了。

我要去找他。我说。

他说，你见不到他的。你这么久都没有见到他，现在想见就能见到了。

现在不一样了，我是给他送存折。我说。

你傻啊！这么大数目的存款，你大呼小叫着去给他，吓死他也不敢承认，弄不好还会毁了他。

看着我六神无主的样子，“皇帝”说你听我的安排。

接下来的日子里，皇帝每天神神秘秘地和一些人通电话，神神秘秘地出来进去。我也懒得出去收破烂，天天躺在“皇宫”里胡思乱想。终于有一天，皇帝说，我搞到你的青天家的电话号码了，现在你就给他家打电话。

电话通了，我听出来是那天那个卖给我废品的女人的声音。

我说我手里有你家的存折。

你是什么人，瞎说什么呢？

我就是那天上你家收破烂的，你不是给过我一筒茶叶吗？绿颜色的，铁观音茶，这筒里有个夹层，夹层里有存折，好几百万呢。上边写着×××的名字。

胡说。

“嘟嘟嘟”，对方挂断了电话。我看看“皇帝”，“皇帝”说不急，他们一定还会打过来的。果然过了一会儿，电话铃响了起来。这次是皇帝拿起了听筒。

“皇帝”说你放心，这个事情没人知道。你给我们50万现金，我们就把存折给你，并且保证绝对保密。

对方沉默了一会儿，说可以。

我对“皇帝”说，你怎么能这样做呢?

不这样做，还怎么做，难道让他白白拿回去，而且明摆着这钱不是他存的，他甚至压根儿就没有看过。如果给50万，不正好可以弥补你的土地损失嘛。

“皇帝”一再叮嘱我拿到钱才可以给对方存折，我没吭声。后来被他催不过，勉强答应了。存折是人家的，如果青天来了，我直接给他就是，正好借此机会反映下问题，还跟人家讲什么价钱呢！那50万不是我的，我是断不会要的。

第二天上午，我带着存折如约去了公园。有个人过来问我，你是×××吗?

我说是。

存折带来了吗?

我说带来了。我急忙将存折掏了出来，递给对方。

这时又出来了十几个人，他们把我围了起来。然后有人说你涉嫌敲诈勒索，被逮捕了。

后来，“皇帝”进来了。

再后来，青天也进来了。

在里边，我对青天说，我一直有预感能见到你，却没想到会在这样的地方。

“皇帝”对青天说，你可是“破烂王”心目中的青天哪！

青天长叹一声，我不是天，更不是青天，法才是青天。

送给小杂工的礼物

○阿　琪

我在自己经营的饭店门前贴出招工启事：招聘一名洗碗工。没想到一大早来了十多个应聘的人，还有一个十五六岁的少年。

我从里面挑出一个身体强壮、手脚麻利的年轻女人。其他人都散去了，唯有少年站在那里不肯走。我抬起头来奇怪地看着他。

"叔叔，没别的工让我做了吗？譬如说，我可以帮你们洗菜啊！春节就要到了，来吃饭的人多，你们肯定还需要一个做杂务的人。"少年恳求道。他瘦瘦的，一双眼睛又大又亮。

我摇头。即使需要杂工，我也不会录用他，他看起来还是一个发育未成熟的孩子。我说："你为什么不好好读书，要跑出来做工啊？"

少年低下头，说他在读高二，学校放寒假，想利用假期出来打工。他说出他就读的那所高中，吓了我一跳，我知道那是全市最好的重点高中，许多家长梦寐以求孩子能考进那里。

"我想挣钱，母亲的眼睛看不到东西了，医生说她得了白内障，需要做手术。加上还有其他合并症，手术兼治疗要一万多块。我想挣钱给母亲治眼睛。"

少年说着，两眼湿湿的。

少年两岁时父亲就去世了，母亲靠做清洁工每月挣的500元供儿子读书。劳累加上营养不良，母亲得了白内障，两年前眼睛就看不见了，只好辞工待在家里，母子俩靠街道救济维持生活。男孩很争气，学习很刻苦，是母亲的最大希望。可孝顺的儿子也有一个心愿，想挣到一笔钱给母亲做手术，让黑暗中的母亲重见光明。

我说："就这样吧，你留下来，我的饭店的确需要一个杂工。不过每月只有600元工资，即便你做满整个寒假，也不到1000元，离上万元的手术费差太远了。"

少年听说我同意用他了，高兴得几乎跳起来："没关系的，一个假期能有1000元已经很多了。早晚我会攒够这笔钱的。"

少年很勤快，择菜、洗菜、擦桌、洗碗、上菜，样样抢着干。没有客人时，他就躲在角落里温习功课。店里的人都很喜欢他，很疼惜他。一次快下班时，我叫厨房准备一份饭菜装在盒子里，让他带回家给他那营养不良的母亲。可这孩子推辞了："谢谢你，叔叔！我不能把这么好的饭菜带回去。母亲不知道我出来打工，她以为我早出晚归的，是在学校补习功课。她若知道了真相，会很伤心的。"

寒假很快结束了。我给了他900元工资。开学后，每到周末他就过来帮忙。暑假他再回来做杂工时，常来吃饭的人都知道了店里有一个读书好、手脚勤快的少年。客人只要来过两次，他就能记得客人喜欢喝的茶、提醒人家上次点过什么菜，并告诉客人厨房又有了什么新的菜品。所有客人都很喜欢他。

暑假结束时，少年已经攒了3000元钱了，离他的目标越来越近，他的脸上总是挂着笑容。可是繁重的功课之外还要打工，他变得越来越消瘦，他实在太累了。店里所有人都知道了少年的心愿，那些常来的客人经常关心地问他攒到多少钱了，他们和他一起盼望着他母亲复明那一刻。

少年对我说，最晚明年春天，他一定用这笔钱给母亲做手术，倘若做两只眼睛钱不够，就先做一只。他一定要让母亲看到明年明媚的春天！

2006年11月5日傍晚，店里的员工忙碌起来，他们准备好了丰盛的自助餐，客人陆陆续续地进来了。少年惊奇地看到，那些常来的客人几乎都到了。

晚上 7 点整，一位老者站起来，他叫过少年，笑着对他说："我们知道今天是你的 16 岁生日。今天来到这里的所有人，都是接受过你的服务的。我们感谢你，让我们在这里得到无微不至的服务，你那真诚的笑容是我们在别处享受不到的。因此，我们给你准备了一份礼物。"

老人递过一个大大的红包，我知道那里面有所有的客人、加上全体店员凑的 2800 元："拿去给你的母亲做手术吧！我们感谢她培养出一个这么好的孩子。"

我也站起来，微笑着递给他一个信封："这里面有 3000 元钱，是我预支给你的工钱。不过暂时你不用过来打工了，专心准备考大学吧，等考上大学再来打工。你是我用过的杂工中最好的一个，欢迎你随时回来。"

少年的眼睛渐渐湿润了。两天后，他把母亲送进了本地最好的眼科医院。医生说，要彻底治好合并症，然后才能做白内障手术，整个疗程需要一个多月。

一个多月后，那个苦难的女人就能重新看到这个世界了。因为有至孝的儿子，她成为天下最幸福的母亲，而她生命的春天，也在这一刻悄然降临。

车过陇西

○张　震

在甘肃陇西办完事，我购买了去西安的车票，剪票后直接进入站台。陇西站是陇海铁路线中的一个要站，可车站却十分简陋，属于典型的山里的那种车站，铁路沿线两旁，全是连绵不绝的大山。

从兰州发往西安的列车到达陇西站的时间还有一个小时，我看候车的时间还早，就随便找了个地方坐下。一支烟刚吸完，车站的广播里传出一个女声。

“旅客同志们，由上海发往西宁的列车，就要进站了，请做好上车准备。”

我把头抬起，向着铁路的东端望去。果然，一列绿色的列车，由远而近，有节奏地驶来。

当列车在站台上刚刚停稳，从两边的山坡上，冲下三四十个小孩，提着篮子，捧着红枣，拎着装着小松鼠的竹笼，奔向车窗。

“叔叔，买几个苹果吧。”

“阿姨，这红枣刚摘的。”

“买只松鼠吧，城里没有。”

…… ……

几十个孩子分散围着绿色的车窗，踮着脚，仰着脖子，恳求着，不绝于耳。短短的几分钟过去了，车轮又开始转动，向西而去。有十几个孩子卖掉了手中的东西，笑眯眯地数着零钱，向一个穿黑衣的稍大点的男孩走去，把钱交到他手里。那个男孩，单腿跪地，在一块石头上，一面数着钱，一面仔细地登记。

当一个手提竹笼没有卖掉松鼠的小女孩从我身边走过时，我叫住她，问："他们为什么要把钱交给那个男孩？"

这个女孩看了我一眼，说道："我们要请回老师。"

原来，这些孩子，都是离车站二十多公里远的一座山里小学校的学生，学校唯一的一名老师，因一年多没有领到工资，含泪走了。孩子们为了能重新上学，就各自拿出家里的东西，在那个穿黑衣服男孩的带领下来到车站。

从兰州开往西安的列车，又停在了站台上，这是我要乘的车。我验了票，走进车厢。这时孩子们又围了过来，各自举起手中纯洁的心愿和热望。我听到了这一声声的叫卖，心里就像针扎一般。不等放下行李，便对周围的旅客大声说："这里的苹果好吃，这里的红枣新鲜，这里的孩子不会骗人！"

当那个手提竹笼的女孩走近我旁边的车窗时，我连忙喊道："这松鼠多少钱？"

"叔叔，这原来是自己玩的，你看着给。"

我递过一张50元，说："够吗？"

"叔叔，太多了。"她不敢接我手里的钱。

车轮转动了，我赶紧把头伸出窗外，伸长胳膊，将钱塞进她的手里。车速渐渐快了，她已经无法将竹笼递上来。她一边跟随列车跑一边喊："叔叔，给你松鼠，给你松鼠……"我望着她那跟着列车奔跑的幼小的身影，听着她那渐渐弱下去的喊声，眼睛湿了……

素　质

○曾祥伍

在城郊的一家旅馆里，一个城里人和一个乡下人相遇了。

城里人是来进行乡村游的。本来他打算回城，可是却错过了回城的最后一班车。乡下人是打工回乡的。本来他想直接回家，也错过了回家的最后一班车。城里人先到，登记时，他要包下一个房间，可是服务员说，乡村不比城里，不管你有多少钱，因为床位有限，只能住一个床位，另一个还得留给其他人住。这样，后到的乡下人就得跟城里人同处一室。

乡下人进来时，城里人已经洗漱完，正躺在床上一边抽烟一边看电视。

你好。乡下人跟城里人打招呼。城里人在鼻子里哼了一声，算是作答。

乡下人没有理会城里人的冷淡态度，他把一个蛇皮口袋随意地放在了床边。这是他的全部行李。乡下人看了城里人一眼，开始脱鞋，立时，一股臭味弥漫开来，城里人皱了一下眉头。什么素质。城里人暗暗嘀咕了一句。这个细节被乡下人捕捉到了，他赶忙提着鞋进了卫生间。

乡下人用香皂把脚洗了又洗，擦了又擦，还把脚凑到鼻子前闻了闻，确信没有臭味了，才放心地走了出来，顺手把他的那双鞋放到了窗户外面。

在乡下人去卫生间的这段时间里，城里人把钱包从公文包里拿出来，藏在了枕头下。过了一会儿，他又把钱包重新拿出来放在床垫底下，并用力压了压。

乡下人显然心情不错，也许是打工挣了不少钱，也许是即将见到日思夜想的老婆吧，总之，他吹着口哨，把自己狠狠地摔到那富有弹性的床上，惬意地伸了一个懒腰说，真舒服啊。然后，他递给城里人一支烟。城里人摆摆手，拒绝了。城里人从自己的包里拿出烟来，自己抽上了。

看城里人没有与自己交流的意思，乡下人把刚张开的嘴巴闭上了。

过了一会儿，城里人的手机响了。

亲爱的，我真是倒霉透了，赶不上回城的车了。城里人开始抱怨，现在住在一个该死的旅馆里，床铺硬得像石头，空气也不好，还不安全。城里人说着，看了乡下人一眼。

接完电话，城里人开始一支接一支地抽烟。

又过了一会儿，乡下人的手机也响了。

老婆，我明天就到家了，你等着我啊。我告诉你啊，我现在住在旅馆里。这床多舒服啊，软软的，被子白得直晃人的眼睛，下次我带你来享受享受。什么？花钱？挣钱不就是为了享受吗？辛苦挣来快活用，你说是不是呀？

不知道是因为接了老婆的电话激动呢，还是因为电视节目吸引着乡下人，总之，乡下人精神状态一直很好，丝毫没有要入睡的迹象。

乡下人不睡，城里人自然也不敢睡。因为他的钱包里有一万元钱呢。他睡着了，万一钱被乡下人拿走怎么办？这里可是城乡接合部，复杂得很。

终于，乡下人打起了哈欠。可是刚要闭上眼，马上又睁开了。这些细小的动作，当然逃不过城里人的眼睛。他更加坚信了他的判断，也就更加不敢睡了。

其实，乡下人也挺难受的。他也希望城里人尽快入睡，他挤了一天的火车，已经很疲倦了。但他不敢睡，因为他的鼾声很大。曾经有工友形容他的鼾声可以穿透水泥墙。他知道，如果他先入睡，城里人肯定就无法睡着了。

城里人和乡下人彼此就这样各怀心事地对峙着。城里人心情烦躁地变换着电视频道，乡下人一支一支不停地抽烟。

乡下人也不知道自己是什么时候睡着的。只是第二天早上，乡下人醒来时，城里人已经走了。

乡下人看着城里人乱糟糟的床铺，说了句，城里人怎么那么没素质?

乡下人仔细地把自己的床铺整理好，又把城里人的被子也叠好后，才提着蛇皮口袋出了门。城里人不知道，乡下人那不起眼的蛇皮口袋里，也装着一笔钱，不多不少，刚好也是一万元。

我的河南邻居

〇元　军

我有个河南籍的邻居，30 岁左右，身材瘦高，却长了个窝头似的脑袋，眉毛、头发都向上立着，胖眼皮和瘦鼻梁不和谐地同处一脸。肤色稍显白，嘴唇却黑得让人心疼。但他却娶了个又白又胖的媳妇儿，让人不由感叹这世界不公平。

他在我单位的旁边开了个自行车修理铺，终日喜欢蹲着做事。乡音浓重让他很少和人交谈，但每逢聊起他儿子的话题来，眼里立刻光芒四射。他很爱他的儿子，发誓要把儿子培养成才，决不能让儿子步自己的后尘。

他因为忙生意，无法集中精力辅导孩子，在京上完半个学期的一年级后，儿子就被送回老家去读书了。前段时间儿子突然被爷爷给送回来了，返校续读，遭到拒绝，只好等到 9 月份重上一年级。在这等待的过程中，邻居生怕儿子学的那点有限的知识又给忘了，抽空就让儿子复习。于是，父子之间一场你死我活的斗争就算开始了。

数学方面，答案固定，无话可说，“老师”和“学生”都表现得比较克制；语文，因为有拼音和音调在，铁证如山，普通话没费多大劲就战胜了河南口音；终于到了英语，盛气凌人的爹拿着书本质问着：“老虎用英语咋念?”

“tiger。”儿子怯懦地发出声。

“洋车子？大点声！”

“是自行车，bike！”

“那橘子呢？”

“orange！”

“你能不能把后半截大大方方地给我念出来？桌子怎么读？”

“是课桌还是饭桌？”

“你哪来那么多废话，学过啥桌子就说啥桌子！”

“我两个都学了，一个是desk，一个是table。”

邻居听到的依然是前半截，于是恼羞成怒起来：“你读得都不对！仔细听好了，老虎是‘抬一个’，洋车子是‘掰一棵’，橘子是‘奥运鸡’，桌子，爹就会一个‘逮死磕’。”

儿子听着露出不屑的表情。

“别不服气，你爹我不是乱说的，这我都学过，你前半截都对，就后半截吃劲的地方没有声了。”邻居一针见血地指出了儿子的“错误”。

“老师不是那么读的。”儿子一脸不服气。

怎奈连吃了败仗的爹始终不肯投降，还立刻拉下脸耍起当爹的威风：“你这个犟种，我是爹你是爹？蹲下！听到没有？你给我蹲下！”

儿子委屈地照办了，后脑勺被一直蹲着的爹扇了几个响亮的巴掌。

“念！照着我念！再念不出后半截来……想吃饭？门也没有！”

儿子终于用哽咽的声音表示了屈服：“老虎，抬一个；自行车，掰一棵；橘子，奥运鸡；课桌，逮死磕……”

蹲在一旁的河南邻居终于露出了满意的笑容。我听着觉得有点荒唐和滑稽，忍不住了：“兄弟，我是安徽人，我给你念一下‘我老家的英语字母’你听听，‘矮比洗抵依矮妇儿。’你听着怎么样，别扭不别扭？我和你一样，当年的英语老师都是这水平，他们可以误人家的子弟，咱就别害自己的亲儿子了，你儿子读得非常好，这外国人的洋话，咱是辅导不了的。”

邻居愁眉紧锁起来：“不瞒你说，我是真着急！社会竞争这么激烈，我可不想让儿子输在起跑线上，只要他能把学习搞好，多苦、多累，我都认！只是没有这份能力去辅导，给他当爹，我真有愧啊！”

邻居的这番爱，也许粗糙得像长满老趼的手，但却让人很是感动。况且，朝着正确的方向，坚持着该尽的责任，还愁没有希望吗？

北大女生初次表白实录

〇佚　名

喜欢了两个学期的师兄，我硕，他博。

之前他一直有女友，我是有良好道德情操的“四有”新人，所以坚决不撬人墙脚。这学期他和女友分手了。我犹豫好久，要不要去表白。

犹豫，犹豫了一个学期。

昨天跟闺密两个人在咖啡店喝咖啡，我就犹豫地说起这个。闺密鼓励我去表白，说你不表白呢他就不是你的，你表白了他没准儿会是你的，大不了他拒绝呗，有什么损失的，总比你一个人在这里瞎想好！

我就头脑发热，冲动，鼓起勇气，出门前还买了瓶啤酒……晚上一个人在宿舍，喝。喝完了，跑下楼去，决定给他打电话。

又犹豫，于是又跑到小卖部买了瓶啤酒，又喝了。有点晕。找了棵没人的树下，拿手机拨通了师兄的电话。

师兄接电话说：“喂——”

我……叉着腰，对电话大声说：“师兄！我是×××！”

师兄说：“哦？师妹啊，什么事？”

我……我说：“师兄！×××课的中期论文什么时候交……”

师兄说了一个日期。

我说：“师兄！我还没写……”

师兄大概不明白为什么我没写要跟他说——他又不是助教。不过还是安慰了我一下，指点了一下可以去哪里找材料。

我就挂了电话。

然后我站在树下发了半天呆。又走到小卖部买了串糖葫芦吃了……然后给闺密打电话。

闺密听说我还没表白，就劈头盖脸骂了我一顿。

我被骂得热血沸腾，怒了，发誓说："砍头不过头点地!! 我连北大都能上，几十万人我都击败了，还怕他!"我就又买了罐啤酒，揣在兜里，跑到师兄楼下，然后又给师兄打电话，要他下来。

师兄光着脚，穿着拖鞋，里面穿件T恤，外面套个衬衫就下来了，看样子刚洗完澡。

师兄很惊讶地问我有啥事。

我左右看看，又找了棵树，跟师兄说："我们到那里说话啦。"师兄就跟我走到树下了。

然后，我很紧张，不停地抖，就跟中学时候演讲比赛那次一样。心里骂了自己无数遍，有点后悔了。呜呜，要是被拒了，下周怎么上课啊。呜呜，那个讨论课统共就五个人。呜呜，都不敢逃课的。

师兄就又问："什么事情啊?"

我："你很忙吗？有事情赶着做吗?"

师兄："事倒是没有。不过我很冷啊……"

我低头看看他的光脚，就当没看见。

我摸了摸兜里的啤酒，掏出来说："师兄，喝不喝酒?"

师兄无语。然后微笑说："呃……不太想喝……"

我无语。

师兄大概觉得不忍心吧——我大老远带着啤酒来了，就说："要不我带回去喝吧……"

我很高兴地把啤酒给他。给完后，犹豫。是不是该走了，还是表白呢?

寒风一阵阵地吹，师兄站在树下开始哆嗦了。我的心中热血澎湃，有一种要慷慨就义的感觉……寒风，寒风……师兄看起来想要走了。我决定再也不能拖了，死就死了!

我就大声说:“师兄!”

师兄吓了一跳，说:“啥?”

我放低声音说:“呃……我是来表白的……”(唉! 还是不好意思说我喜欢他。))

师兄很镇定地:“……你是不是跟同学打牌输了啊?”

我:“我从来不打牌。”

师兄沉默。

我:“我是认真的。”

师兄无语。

我:“你说句话啊!”(为什么感觉我是在逼良家妇女卖春啊?)

师兄没话。

我:“你嫌我不好看?”

师兄:“……没有，你挺好看的。”

我:“你嫌我太高?”(俺 170 里米，师兄 171 厘米，俺穿高跟鞋了，师兄穿着拖鞋。))

师兄:“没有……”

我:“你嫌我学历低?”

师兄:“怎么会……”

我:“你怕我会读博?”(我听说一般男生都不喜欢博士美眉。)

师兄无语。

我:“呜呜，你说句话啊。”

师兄:“有点太突然了，我考虑考虑好吗?”

我："……好吧。"

我看看他的脚，估计已经冻成胡萝卜了："那我走了噢。"

师兄："好，路上小心。"（回去要过马路。）

我就跑了。路过一个小卖部，心里突然好害怕！看见卖糖葫芦的，就又买了一串吃。站在小卖部门口，突然觉得好孤单，就在这里看看卖东西和买东西的人。

正在吃的时候，手机就响了，师兄的短信说："到宿舍了？"

我："没。"

师兄："你在哪儿？"

我："××××旁边那个小卖部。"

师兄："那我过来。"

我就赶快把糖葫芦吃完了。傻呵呵地笑。

然后师兄就过来了。然后呢……嘿嘿，我俩就在小卖部门口傻笑了半天。

师兄接受了，不用过光棍儿节了。怪不好意思的！

买基金

○直挂云帆

前两天上银行去交费，一进门，怀疑自己走错了地方。

大厅里面人满为患。椅子上坐满了人，很多人还站着，可能是站累了，有的就斜靠在墙上。门口侧面的台阶上，还坐着三个中年男人在抽烟。

我问保安：今天怎么这么热闹？保安说，都是买基金的。

大厅经理的桌子前面围了个严实，几乎都是头发花白或全白的老人，他们不停地发问，什么叫分红？什么叫转投？什么叫——那什么？往往是这个人的问题还没回答完，另一个人就开始提问了。有个老头儿就对另一个插话的老太太说，你等人家解释完了再问行不行？那个老太太说，就许你问不许我问，你们家把银行给包啦？经理赶紧劝，别着急，别着急，一个一个来，一个一个来。

窗口那儿叫“356号”，有个老头儿站起来，左手拿着条儿，右手拄着拐棍，颤颤巍巍地往前走，嘴里连声喊着，来了，来了。

这个老头儿有点耳背。他听别人说话的时候就用右手捂着耳朵，自己说话的时候就大声嚷嚷。

柜员小姐问，大爷，您办什么呀？

老人说，我这儿有500块钱，您帮我立个折子。

小姐接过钱，看了看单子说，您设个密码吧？

设吧。

设了您能记住吗？

记不住。

小姐乐了，说，记不住您还设？

回头要是让别人捡走，我的钱不就没了吗？

行，那您就设吧。

老人低头看了看，说，这个小机器我还不会使，我说号码，您给记下来吧。

这密码哪有说的呀，这不能让别人知道。

那您就帮我设一个，我信得过你们银行，就咱俩知道，行不？

周围的人也乐了。小姐说，我也不能给您设。干脆，有时间叫您儿子闺女来吧，他们懂。

我不敢让他们知道，回头他们又惦记上啦！

小姐说，那就先甭设了。很快给他办完了。小姐接着问，您还有别的事吗？

老人有点不好意思地说，呵呵，我这儿还有个存折，上边有两万块钱，我打算着用这钱买点儿基金。

那您买哪种啊？

这还分好几种哪？

可不嘛，好几十种呢。

是吗？我还不知道呢，您就帮我挑一种好的吧，要那挣钱多的。

我可没这权力。您自己拿主意吧。

我不是自己没主意才跟你们要个主意吗？我们有个街坊，他说他买了一万块钱的，半年多的工夫就赚了五千。要不我怎么也来了呢。劳您驾了，您就帮我填个单子，我心里也踏实了！

不行，大爷，真不行。我们行里有规定，不能给客户瞎出主意。我们负不了这责任。

真不行？

真不行。

真不行？老人又往前探了探身。

真不行。小姐满含着歉意。

唉，真是。得！不行就不行吧，算我白说。求你们这么点儿事儿都不成！老人还生气了。

接着他吃力地站起来，缓慢地向门口蹭去，蹭到半截儿，跟另外一个老头儿说，您猜怎么着？这岁数一大呀，到哪儿都不招人待见了。以后呀，少出门。嘿！

老人走了，我想，幸亏他没买上。要是他买上了，如果有一天股市高台跳水，这么大岁数了，急出个好歹来怎么办呀！

小莲的疑惑

〇廖晶晶

在小莲1岁的时候，父母把小莲丢给了年迈的外公外婆，因为他们想要生一个儿子，而小莲是女孩。

在小莲8岁以前的记忆中，她从不知道父母长什么样。但小莲的生活还是比较好的，因为外公外婆及舅舅都很疼爱她，从不会让她受一点儿委屈，特别是外婆，对她更是百依百顺。

小莲小学上得较早，6岁时已经读一年级了。

班上有一个叫招弟的同学，小莲特别喜欢她，因为她很温柔很温柔，对班上的同学都很好，大家都叫她“招弟姐姐”。小莲第一次见招弟的时候，觉得很奇怪，因为招弟比她高出一大截，而且瘦瘦的，肥大而满是补丁的衣服穿在她身上，好像学校里的那面旗子一样，总是迎风招展。后来，一次偶然的机会，小莲听见老师说招弟已经12岁了。小莲不明白12岁到底是多大，就去问外公，外公告诉她说就是两个小莲那么大。

小莲听了还是似懂非懂，不过小莲想那一定是一个很大的数目了。

小莲觉得班上的小朋友都很可爱，而且很爱劳动。因为每天放学后，大家很少留下来陪小莲玩，都各自回家去了。小莲知道，他们一定是回去帮爸爸妈妈放牛，扯猪草。因为同村里的孩子都是这样做的。

小莲班上的同学并不都是同一村里的，有很多来自其他的村庄。在这方圆十几里内，就只有小莲外婆家的村子里有一所学校，其他地方的小朋友都要走很远的路来这儿上学，小莲觉得他们很勇敢，不用父母陪伴，拉上几个伙伴，点着火把就来上学了。

小莲的成绩很好，在班上总是一、二名，之所以没有一直得第一，是因为另外还有一名男同学总是和她抢第一名。老师经常在班上表扬他们俩，并让同学们向他们学习。可是奇怪的是，小明，也就是那名男同学在读完一个学期后，就不再来上学了。听老师说，是他爸爸不让他来了。为什么不让他来呢？小莲觉得很奇怪，上学多好啊，每天有那么多小朋友在一起，还可以学到很多有趣的东西。可是后来，班上的同学越来越少了，最后只剩下十多个同学。

小莲想，是不是他们的爸爸都不让他们读书了呢？那些爸爸一定不是个好东西，我不要爸爸了。

小莲把她的想法告诉了招弟。

招弟笑了笑——小莲从来没有见过那样的笑容，感觉苦苦的、涩涩的，让小莲有一种想哭的感觉——说，不是他们的爸爸不让他们读了，而是因为他们家穷，交不起学费，所以就不能来读书了。

“那他们为什么家穷呢？”小莲问道。

“因为他们的父母赚不到钱。”

小莲还想问几个问题，可上课铃已经响了，只好把要问的问题压在心底。

几个星期后，班上又少了一名同学，那就是招弟。招弟是她爸爸来领走的，当老师劝他让招弟继续上学时，小莲听见他说，女孩子家，知道个一二三四五，就已经了不得了，老子可没指望靠她读书来养活我们一家子。招弟那天是流着眼泪走的，一步三回头。

因为班上只有十几名同学了，小莲觉得心里少了点什么，她常常在想，我爸爸会不会有一天也不让我上学呢？小明、招弟他们的爸爸为什么就赚不到钱呢？要是他们能够赚到钱，那大家又可以在一块了。

可惜，并没人知道小莲心里所想的，也无法告诉她所想知道的。

在外婆那儿读完了三年级后，父母把小莲接回到身边。小莲带着她的那些疑惑，依依不舍地离开她所熟悉的一切。

走吧，自行车

○明前茶

英国小伙大卫在旧书摊上买了一本20世纪90年代出版的张爱玲散文，对其中的一个比喻念念不忘，张爱玲说，人生最得意处不在于升官发财，而是你在少年时，骑一辆脚踏车，转弯时小撒把，在人家的惊叫声中溅起一地的水花，意气扬扬地远去了。

大卫简直要认张爱玲这位中文老师为人生知己。大卫今年28岁了，到了他这个年纪，中国的同龄人都在为如何贷款买房、装修房屋以应付丈母娘的盘问发愁，都在为将来谁来带小孩发愁，而这位皮肤白得像牛奶的英国人，心性就像那位骑脚踏车的少年般，只有14岁，他决定花三到五年时间周游一下中国和印度，办法是，做语言学校的外教，做三个月，换一个城市。每到一地，他的第一件事，就是买一辆自行车，偏腿儿上车，就可以自由自在地深入城市的毛细血管。

大卫的第一站到了扬州，他骑车游了当地几乎所有的名胜，最喜欢的，是扬州的国庆路。倒不是在这条路上，可以喝到富春茶社的春茶；吃到滚烫的干丝和菜包子；买到扬州三把刀店神奇的修脚刀；让大卫那双走过了千山万水的大脚，磨去僵硬，重新焕发了生机。更重要的是，这条道上，铺的是小青砖，岁月流逝，青砖的四个角都被时光和车辙磨圆了，自行车窄窄的车轮走上去，"咯噔咯噔"作响，那一点"痒酥酥"的小颠簸，比一马平川的柏油马路，更能把人颠入一个神游天外的逍遥境界。

第二站，大卫到了苏州，他发现了更多能颠得他“痒酥酥”的青砖路。在苏州老城，自行车、公交车、私家车都行走在这类青砖路上，一下雨，水都积不起来。青砖路透水性好，走在上面不滑。大卫欣喜地发现，这就是苏州85岁的老婆婆还敢亲自上小菜场的缘故。雨过天晴，90岁的父亲和70岁的儿子提笼架鸟出来会鸟友。大卫发现苏州人螺蛳壳里做道场，连公交车的站台也植上柳树，挖上月亮门，镶上镂窗，放上美人靠，搞成一个小游园的样儿。春天，上百的鸟儿在叫，杨柳树的万千金芽也像是千万只鹅黄小嘴在叫，走累了，把自行车往美人靠旁一放，就有卖早点的大嫂向大卫推销乌饭团。大卫一气吃了两个乌饭团，又喝了一大碗虾皮豆腐脑，所获的能量，估计骑到杭州也够了。

大卫真骑车去了杭州，一去就发现，他把“老伙计”带来真无必要。因为杭州真的是自行车旅行者的天堂，在市区和风景点，近则200米远则500米，就有一个自行车出租点，你可以就近还车，有的出租点24小时可租借自行车。租来的自行车是绿色的，“就像英国邮差一样”，大卫认为这颜色很酷。

骑车去柳浪闻莺，穿行在夏日的万顷荷风里；或者，骑车去虎跑，到了茶楼才见虎跑的喝茶地是一个回廊，像巨龙一样盘踞在山上。所有的木镂窗都洞开，可以听到虎跑泉水在远处泠泠作响，一身热汗都化作幽凉，此时，沏一杯龙井茶来喝，是神仙；冲一碗西湖藕粉来喝，更是神仙。茶楼里的大婶像教导自家侄子一样教导大卫说，瞧你骑得这身热汗，哪能喝冰水，要喝热茶，才不会激坏了肠胃。

下一站，大卫打算去哪儿？大卫用刚学会的中国话说：“哪里能骑自行车，就去哪里。咱们完全可以‘走着瞧’。”他为“走着瞧”的一语双关，得意地笑了。没错，那么多热爱学英语的中国孩子，会助他达成心愿的。不过，大卫到现在也不明白，打算送孩子出国留学的富裕的中国父母，干吗等孩子满18岁，就要送他一辆小汽车呢。在英国，中产阶级最怕孩子一成年，就沾染了中产阶级的暮气沉沉和享乐作风，赶他出门打工，让他脚踏自行车，走遍梦见过的地方的所有风景。

少年时不任性，可能一辈子也别想任性了。路在脚下，偏腿儿上车吧。

源于孩子的感动

○林　平

温　暖

深冬的一天傍晚，八岁的女儿放学后跟我去一家饭店吃饭。

来到饭店，女儿放下书包，坐下来，一副闷闷不乐的样子。过了一会儿，她小声对我说："爸爸，你给我五毛钱好吗？"

"你要钱干什么？又想买零食吗？马上就要吃饭了。"我转向女儿，严肃地说。

女儿红了脸，嗫嚅道："我是想给门口要饭的老爷爷钱……"

女儿解释说，刚才经过饭店门口时，看到门口站着一位老人和一个跟她一般大小的男孩，他们的脸很黑，衣着破旧，老人左手拄着一根棍子，右手端着一只掉了釉的缸子。女儿知道，他们是要饭的，她从小男孩的眼神中看出来，他很羡慕女儿身上的新衣服和书包。

愣了一下，我从钱包里拿出一块钱，递给女儿。女儿接过钱，说声"谢谢爸爸"，就飞快地跑了出去。过了一会儿，女儿跟着两位女士走进餐厅，其中一位对我说："你女儿刚才献爱心了，还拉着我们一起献爱心，要我捐五毛钱。"

"她也要我捐，我只有一毛零钱。"另一位说。

那顿饭，女儿吃得非常畅快。走出饭店时，老人和男孩还在门口乞讨，老人的目光从我们脸上滑过，认出了女儿，对女儿笑笑，没有说话。女儿说："爷爷，回家吧，外面冷。"

我的心不禁颤了一下。女儿的话犹如一盆炭火，让我们这些大人冰冷而麻木的心有了温度。

捐　心

一位在贫困山区支教的大学生得了重病，他平时的工资都给贫困山区的孩子交了学费、买了学习用具，根本无钱医治。学校和乡教育站想了很多办法，仍无法筹集到足够的医疗费。无奈之下，学校只得号召全校师生捐款，多少不限。

捐款那天，学校门前的操场上排起了长队，一些村民也闻讯赶来，拿出自己用来买油买盐买种子的钱，这是他们报答那位把一切都献给山区孩子的大学生的唯一机会。在长长的捐款队伍中，站着一个小男孩。孩子紧紧地捏着拳头，随着队伍一点一点地向前挪动着，从早晨排到中午，排了三个多小时，终于走到捐款箱前。孩子艰难地抬起手，伸开紧握的拳头，小小的手掌里却是空的，一分钱没有。

霎时，几百双眼睛都看到了这一幕。站在一旁的老师疑惑地问："小同学，你是来捐款的吗？"孩子红了脸，拘谨地点点头。

老师问："你的钱呢？""我爸爸给了我五毛钱，可是我在来学校的路上，不小心丢了……"孩子嗫嚅着，微微地低着头，不敢看老师的眼睛，更不敢看周围人的眼睛。操场上的空气似乎凝固了。

老师感到很为难，不知该如何给这个空着手的孩子记账。沉吟片刻，老师忽然抓起笔，在红纸上工工整整地写下孩子的名字，在"捐助金额"一栏里郑重地写下一个字：心。

空旷的操场上静默了几秒钟，随后爆发出一阵雷鸣般的掌声。

河　边

〇空钱包

最近几天，真是冷到极点。

我有早起的习惯，每天都去河边，在河边我可以呼吸到生命的气息。我每个日程的第一个步骤就是顺着河边走两公里以上，然后再走回来。轻烟、薄雾、远树、近水。诗一样的景致，诗一样的人生。

今天，河水缓缓地流淌着，淡淡一看，仿佛凝固了一般。

一个老太婆正在河边倒退着走，仿佛要走回到她做梦都想回到的青年时代。还有一些人正在练太极拳，他们安详地伸手，慢慢地踢腿。

“一只青蛙几条腿啊？”

“一只青蛙四条腿。”

我听见街道拐弯处传来一大一小的问答声。向前看，一个年轻妈妈牵着一个两三岁的小孩正走过来。他们接着在问答：

“一只公鸡几条腿？”

“一只公鸡也是四条腿。”

“错啦，一只公鸡只有两条腿。”

“记住了，一只公鸡两条腿。”

“一只蚂蚁几条腿啊？”

“一只蚂蚁……”

小孩子突然撞到我的身上，不是我不闪避，是我完全来不及闪避。我赶紧用手去扶住他，但是我一下子失控，倒在地上。年轻妈妈急忙跑过来，一边搀我起来，一边连声道歉："先生，对不起。对不起，先生。"

我好不容易起来了，用手拍拍小孩子的脸，说："这有什么关系，小朋友，你的劲真大！"

小孩子只是定定地看着我，像看一个比长颈鹿更稀奇的动物，他被妈妈拉着走了好远还在扭头看我，然后我听见他对妈妈说："妈妈，那个叔叔只有一条腿，一条腿是什么动物啊？"

"不许这样说话！真没礼貌，叔叔是人，本来也有两条腿，可能是……"

自始至终，我都对小孩子笑着，直到他和他的妈妈又拐了一道弯。

可能是……

他们不会知道这个"可能是"，但是我却因为遇到这个"可能是"而差点失去无数个这样美好的早晨。

但是，早晨，纵使有千斤重的早晨，我也会用仅剩下来的一条腿支撑起来。

敬　礼

○佛　刘

夏天的时候，父亲忽然打来电话，父亲说，你能回来一趟吗，你全志叔的坟找到了。父亲的声音很平淡，可是在他平淡的语调背后，我却感到了他有意的克制。

怎么找到的？我吃了一惊。李全志死于解放战争年代，埋在哪里根本无据可查。这么多年，父亲一直都在寻找，可每次都是失望而归。

父亲说是他的一个战友在一个旧物市场发现了一本解放战争年代的战士阵亡名录，而上面恰巧就有父亲所在部队的番号，顺着那些番号和相关的记录，父亲的战友看到了李全志的名字，并按图索骥，找到了李全志的墓地。

父亲说，你回来吧，我们一起去给他上个坟。

我说，等等不行吗？我这一段时间正好有业务。

父亲说，不行，你要是可怜你爹，就回来一趟。

父亲一直就这么个脾气，逢年过节，他总要打电话说，你要是可怜你爹，就回来一趟。他有什么可怜的，不过是年纪大了一些，就有了资格。

小时候父亲对我一直很宠爱。我说想骑在他的脖子上玩，他不管多累也会高兴地满足我。邻居家有棵杏树，每年麦收时节，我说想吃杏，他二话不说厚了老脸去央求邻居，弄得邻居老大不愉快。有一次他无意中听到别人说我姓李不姓张时，他竟然跟人家翻了脸，如果不是有人拉着他，那人肯定是少不了挨一顿拳脚的。

我记得母亲去世前夕，曾拉着父亲的手依恋地说，儿子就交给你了，我这一辈子算没有白活。母亲还想说什么，却被父亲用眼神制止了。父亲一手拉着母亲的手，一手抱着我，他的泪水滴在我的脸上。父亲说，你放心地去吧，只要我还有一口气，我会继续去寻找他的。

一晃儿，十几年过去，我大学毕业参加了工作，现在已经是一家企业的管理人员了。平时父亲总是有意无意地嘱咐我，如果有时间就帮他找找李全志，可是我那么忙，根本就无暇顾及到这些，没想到，李全志竟然被他们找到了。

我请了假，然后打点行装，我不得不可怜我爹。

七月的天气，到处流火，当我一身汗水地赶到家里的时候，父亲已经在等着我了。我看着有些陌生的父亲，不知道他怎么会把多年前的旧军装翻出来穿在身上。

我说，天这么热，明天再去吧。

不，父亲说得很坚决，今天就去。

我奇怪地看着父亲，汗水已经把他的旧军装弄湿了一大片。

李全志的坟地距我们村庄很远，如果不是有堂兄的汽车，在这样的天气，我真担心父亲会中暑。父亲一直说着没事，还不时地正正自己的军帽，仿佛在赶赴一场严肃的约会。

车在一处长满野草的土坡前停下来，如果不仔细分辨，根本不会知道在这些绿色的野草中间还隐藏着这么多的秘密。显然那些地方被重新整理过了，草清了，坟头新了，还立了碑，说不定用不了多久，他们就会被迁移到烈士陵园。

父亲一看见那些坟头，眼圈就红了，我知道他内心的伤痛，在这样的时刻，说什么都是多余的。

我曾在父亲的日记中读过他和李全志的生死友谊：战斗很艰苦，双方都杀红了眼，连枪管都红了。我被击中了腹部，躺在地上不能动弹，当一颗炮弹飞来的时候，李全志奋不顾身地压在了我的身上。我在爆炸声中昏了过去，当我醒来的时候，已经在一个临时的救护所了。此后，我再也没见过李全志，战友们都说李全志牺牲了，但我不相信，我想他一定还在战场上……

在李全志的坟前，父亲说，儿子，你跪下。

我诧异地看看父亲，在他不容违抗的目光下，我跪了下来。

父亲说，老弟，我把你的儿子带来了，你睁开眼睛看看吧。

爹，我扭转头疑惑地看着他。

他才是你爹，父亲用手指着李全志的坟，他才是你真正的爹。

我的大脑轰地一下，仿佛有什么在耳边炸开了。

儿子，给你爹磕头。

我一边磕头，一边悄悄地流眼泪，这么多年，我一直都没有发觉过父亲的异样，他爱母亲，也爱我。可是在他的心里，却一直埋藏着这样一个心愿：帮我找到我爹。

我的任务终于完成了，老弟，我可以放心地去看你了。父亲对着坟头行了一个标准的军礼，他苍劲的动作点燃了天边的红霞。

我对着父亲也敬了一个庄严的军礼，那一刻，苍山如海，残阳如血。

洗　钱

○林晓莉

张姗是嘉江市市委书记的女儿，明年就要大学毕业，暑假期间，想找一个单位实习，感受一下社会生活和校园的不同。按说张姗是学教育的，要实习应该到学校里去，可是暑假里学生都放假了，哪里有什么课好上。

爸爸建议她到机关里锻炼锻炼，张姗将小嘴一噘：“哼，到机关里，人家都知道我是市委书记的闺女，肯定都让着我，能学到什么东西?”

张书记一听，连连夸闺女有见识，他提议：“不行就找一家企业。”

书记夫人不答应：“那哪行？现在企业效益普遍不好，工人工资都发不下来，对市委意见大着呢。你让闺女去厂里打工，那些工人说不定会怎么捉弄她呢。”

一家人正讨论不定，张书记的朋友林伯伯来访。他是刚刚辞职下海的市规划院院长，打算开一家酒店，他说现在正缺一名酒店经理，欢迎张姗屈尊就任。

张书记连连摆手：“她一个小孩子家，懂什么？让她做经理，还不把老本儿都赔进去了！”

“怎么会赔？张姗是我看着长大的，从小她就格外聪明，学什么会什么。现代社会讲究的是全面发展，让姗姗学做生意也没什么不好。不管你同不同意，我可是要重金聘请。”

张姗本来就对林伯伯辞官经商十分佩服，一听他说要聘自己当经理，顿时来劲了：“好啊，林伯伯，我正想学学您，做商海的强人呢。”

张书记拗不过张姗，只好由着她，但是一再叮嘱她凡事多请示林伯伯，不可自作主张，试试不行，就赶快辞职，别耽误了人家的经营。

第二天，张姗就走马上任了。在开业庆典上，张姗还亲自剪彩。很多单位和个人前来致贺，当地媒体的记者还采写了新闻在晚报上发表，报道了珊瑚酒家大胆聘用在读女大学生担任经理的事迹。这下子珊瑚酒家出了名了，许多人来吃饭，就是冲着见见市委书记家当经理的女儿。

张姗在经营上的确很用心，决心干出点儿成绩让爸爸看看。她发现林伯伯为所有菜谱定的价位都很低，普遍低于全市的平均水平，她想，可能是因为刚刚开业，为了促销吧。

一个星期过去了，由于菜价太低，微有盈利。张姗很惭愧地向林伯伯汇报，没想到林伯伯一看营业额就提出："继续降价！"

"还要降价？再降价就没有任何利润空间了。"

"要让利于民嘛，做生意不能只顾眼前；另外可以多做广告啊。为节省费用，你这个经理可亲自上电视做推广呀，你长得这么漂亮，效果一定不比明星差，哈哈！"林伯伯拍拍张姗的肩膀，笑呵呵地说。

因为爸爸交代经营上要多听林伯伯的，张姗也只好遵从他的意思。经过全面降价和大做广告以后，营业额一路飙升，每天都是顾客盈门，别的饭店都眼红得不得了，林伯伯整天乐呵呵的。

但是，价位这样低还能赚到钱吗？张姗去找会计，会计说，老板交代只对他一个人负责，账目不能让任何人查看。她又去找林伯伯，他笃定地说："薄利多销嘛，咱们营业额这么大，自然有钱赚的。你的工资是按照营业额提成的，放心好了，伯伯不会亏待你，更不会做赔钱的买卖。"

张书记经常过问张姗的打工情况，她把疑问告诉爸爸，爸爸笑着说："做生意可能是各有各的招数吧，你只管按林伯伯的安排去做就是了。"

两个月过去了，开学前，林伯伯又一次来到张家，带来了一个厚厚的大信封，里边是两万元钱，说这是张姗的工资。张书记说什么也不肯收。

林伯伯笑着说："讲好的按营业额提成，我不能在孩子面前食言，两个月，我们的营业额超过了200万元。”

林伯伯一走，张书记马上安排秘书把两万元存进了廉政账户。张姗挺委屈，觉得是自己的劳动成果，不应该被爸爸没收。

妈妈劝张姗：“既然是打工，长本事才是最重要的，赚不赚钱倒无所谓。”

经过两个月实习的检验，张姗自认为还真有经营天赋，她想不如毕业后就搞经营好了。

寒假还没有开始，她就盘算着继续到林伯伯的酒店实习锻炼。从学校回来，一下火车，她来不及见父母就直接跑到了珊瑚酒家，没想到珊瑚酒家已经关门了。回到家里，张姗立刻拨通了爸爸的电话，爸爸告诉她，那个林伯伯因为贪污罪被逮捕了。

“为什么？”张姗惊讶得眼珠子都要飞出来了。

“傻孩子，你在珊瑚酒家打工的经历，帮助我们发现了这只蛀虫。林子豪辞职前，已经有人举报他贪污，他担心露出马脚才提出离任。但是经过离任审计，没有发现他的经济问题，只好允许他辞职。离任后，他立即开了珊瑚酒店，又请你做经理，原以为他想借你是市委书记的女儿做不用花钱的广告，没想到他是一箭双雕，要借开酒店的名义洗钱，使他的非法收入合法化，这就是为什么他总是把菜价压得很低的缘故。他开酒店并不是为了赚钱，而是要借生意兴隆的声势掩人耳目，我也将计就计，让你从酒店里发现他亏本经营却宣传盈利丰厚的问题。你开学后，反贪局组织了对他的调查，查明他的来源不明收入居然达到500多万元！”

张姗委屈极了：“爸爸，你们早就知道他有问题，却把我一个人蒙在鼓里做你的道具，我的打工还有什么价值？”

“乖女儿，你帮助全市人民挖出了大蛀虫，使500多万元资产收归国库，这里边也有你的一份功劳。”

表　弟

○戴　涛

表弟是18岁那年来上海的，他老家在江西山里的一个小镇上。表弟在我上班的单位里找到了我。我打量着眼前这位从未见过面的表弟，方脸，厚唇，黑黑的皮肤，非常容易让人想到山。表弟对我说："哥，我没考上学校，家乡又找不到工作，所以我就想来上海发展发展。"瞧着表弟对上海一脸的期待与兴奋，我原想对表弟说的话终于一句也没说。

我将表弟带回家，在我的书房里给他安置了一张床。第二天上班，我特意关照表弟，你先在家歇着，工作我们可以慢慢找。可当我下班回来时，表弟却不在家。这下夫人急了，朝我直嚷："把他弄丢了，你怎么向他家里交代啊?"正急得没有方向时，表弟回来了，手里捧了一沓广告纸。"哥，我找到工作了!"

"工作？什么工作?"我不信表弟这么快就找到了工作。

"真的，哥。今天上午我在家闷得慌，就一个人跑出去了。我见许多人朝地底下走，我也跟着下去了，我坐上了一列在地底下开的火车。坐到那头，我钻出地面时，有人上来送我一张纸，我问啥纸，他说是房子装潢的广告。他一说话，我就听出来了，他也是老表。这下我们就聊上了，后来他给了我这些广告纸，叫我在地铁这头出口发给人家，发完了，就能领钱。"

我想说这算是什么工作，但我没有，我看见表弟是那样兴高采烈，而且我也无法为表弟找到更好的工作。

从此，表弟每天早出晚归，专心致志做着这份散发广告的工作。大约过了一个月，表弟这天回来非常得意地告诉我："哥，今天我见到老板了，老板要送我去念书。"我问是哪个老板，念什么书。表弟说："当然是装潢公司的老板，他说我工作得最好，不像别的人，把广告纸偷偷撕了扔了也去领钱，所以老板要送我去念书，念装潢设计的书。"听了表弟的话，我想表弟这回真的要在上海发展了。

接下来的两年时间，表弟白天发广告，晚上去念书，每天念完书回来，还要在书房里用功，我感觉表弟这书念得很苦。两年后，表弟如愿以偿拿到了毕业证书，装潢公司的老板就让表弟做了设计人员。没过多久，表弟抱回家来一台电脑，我问哪儿来的？表弟说用老板发的工资奖金买的。我说："用来上网聊天玩游戏？"表弟说："NO，在家里干活儿用，还可以了解国外最新的设计动态。"

到了年底，表弟拿出一万块钱来对我说："哥，这钱就算是这两年吃住在这里的一点补偿吧。"我坚决不要，表弟急得快要哭了，"哥，钱你不要，那你一定要答应我两件事，第一件事，我不能再影响你们了，我要搬出去住；第二件事，我要为你们的房子重新装潢一下。"

这两件事最终我都答应了。当我看到经过重新装潢的房子变得如此漂亮时尚，我真有一种说不出的感动。三年前，当他第一次站在我跟前时，我怎么会想到表弟的今天呢。

装潢好我的房子后，表弟就搬出去了，他一个人在外面租了房子。因为忙，他也很少到我家里来了，可我知道他的设计越做越好，甚至有人说他想自己开公司做老板。

转眼又是一个春节要到了，这是表弟来上海的第七个春节。他来我家说："哥，我要回家了。"我问过了年什么时候回来，表弟说："不来了。"我感到非常意外，问究竟发生什么事了。"没发生什么事，就是不想来了。”表弟的表情还是非常平和，我说：“你总得告诉我一个理由嘛。”表弟说：“我还是喜欢小镇。”

表弟走了，可我还时常在想，表弟究竟喜欢小镇什么呢？我还做过一个梦，梦中一个18岁的山村孩子来到我家，他对我说：“大伯，我没考上学校，家乡又找不到工作，我想来上海发展发展。”

我想了想，这孩子应该是表弟的儿子。

唱戏的车夫

○周晓钟

车夫姓高，先前住在这座城的东南隅靠近河堤的地方，与我的住处相隔不远，我常坐他的三轮车。高师傅身材高大结实，皮肤黝黑，平常穿一件灰白汗衫，下面着一条剪短了裤腿的草绿裤。无论冬夏，总戴一顶捡来的宽边旧毡帽，夏遮日头冬避风寒，也常笑着向人这样夸耀，显出一脸得意的神色。他的年龄多大看不出来，我也没问过。

小城建在山间，街道上下起伏，三轮车上坡很吃力，多半要下车推行。他把一根结实的宽皮带结在后座上，上坡时候就勒上肩，哼哧哼哧地拉起来，如纤夫拉纤。脚踩在地面，一步一声嗵嗵响，很踏实。

高师傅爱唱戏，但唱来唱去也就是那么几句，并且和不上调，“我站在城楼上观风景，只见得街市上乱纷纷……”像是什么戏里的段子，又哪段都不是。何况那腔调，能把戏迷们气个半死。既不是川戏，又不像京剧、秦腔，粗粗一听，什么味儿都有点，细究起来，却又什么味儿都没有。他一天到晚总是乐呵呵地唱。拉车上坡很累，若是车上坐个大胖子，就要挣得脖子青筋鼓胀，满脸通红，汗水顺额角下来，在蒙尘的脸上划出难看的道道儿。前些年，一遇上坡，坐车的人就主动下车走路。有的看车夫拉车上坡艰难，还帮忙推一把。这些年只有白痴才下车了，老年人里还有一些想帮忙推车的，但腿脚不灵便了，因此这城里多数上了些年纪的往往宁愿走路，怕看车夫为自己受的那份罪。

高师傅却说：嘿，你坐车，给钱；我拉车，挣钱。我们是两不亏欠。不管谁坐在车上，他只管一步一步拉上坡。待到了平坦地面，快走几步，一脚踏上车去，蹬起来，就放嗓子唱他的戏：“我站在城楼上观风景，只见得街市上乱纷纷……”

听说他当过兵，转业后在一家县办厂工作。结发妻病死了，留下一个儿子。续妻是一个农村姑娘，又为他添了一个女儿，一家四口只靠他的工资过日子。前几年县办厂破产，一家人生计顿时无着落。高师傅还是不急不恼，仍然开口就唱。他先后在街道上扫过地，捡过废品，替旅馆洗过衣服，开过饭馆。后来才租了别人一辆三轮蹬，无论刮风下雨、烈日当头，他总不歇着。

他家是特困户，逢年过节，县里领导提了米面和肉去慰问，问他日子怎么样，他总是笑着说：“我很好啊，看看，还让领导百忙里来费心。”然后就说：“我给你们唱一段吧。”也不管人家听不听，扯开嗓门儿就唱：“并非是参军少学问，皆因他将帅不和才失街亭，你连得三城多侥幸，贪得无厌又想西城……”那调调儿，把大家都逗得乐不可支。

我住城东，地势低；上班在城西，地势高。我常是上班走路，下班坐车，坐车是只拣一溜儿到底的下坡路线。

我专挑他的车坐，就为听他唱戏，听他唱“我站在城楼上观风景”，还听他东拉西扯的神侃，侃他自己的笑话。

讲他拉一个急腹症病人去医院，手忙脚乱地扶进了诊室，又去帮忙挂号。后来人家家属来了，几个人七手八脚把病人送进住院部，他昏头昏脑忘了收车钱，连挂号费都赔了。讲他拉一个老太太，这人老糊涂了，一会儿说去这里，一会儿说到那里。他拉着这个糊涂老太太在城里转了好半天，最后只得拉到了派出所。原来这是个间歇性精神病人。

他边说边笑自己，笑得很开心，笑过，他又唱：“旌旗招展空翻影，却原来是司马发来大兵……”

有一次，我问，你就没有什么发愁的时候吗？他很认真地想了想，说，咋没有？

他说最难的是扫街那些日子。每天早上四点起床，刷刷刷地要扫到八点。

这时候别人都还在睡觉，他就不能唱戏。他说："闷声不响的，还活什么劲！"后来，他想了个主意，就数扫帚声："刷，刷，刷——刷。一，二，三……四。"他扫出个当年队伍里出操走正步的节奏。他一边扫一边数，觉得又回到了队伍里，蛮有精神的。天放亮了，有晨跑的经过他身边，他就放开嗓子喊。天大亮，也接近收工了，他便放开嗓子唱戏："我站在城楼上观风景，只见得街市上乱纷纷……"

我忍不住问："你唱的到底是什么戏？什么段子？"他说他也不知道，只说是捡来的。再问哪儿捡的。他笑笑，说记不得了。

后来有一天，他拿了厚厚一沓儿零钱给我，说是一千块钱，求我帮他在大城市里买一部机动三轮车。"要四面有篷，像小汽车那种。"他说。在他看来这钱已经很不少了，但要买那样一辆车是很不够的。他看我面有难色，又打起了他的老主意："你可别推，让我给你唱一段听听。"边说边就亮开了嗓子："我这里无有珍馐来奉进，只有点沱牌大曲略表心情……"惹得我再也绷不住，咧开嘴笑出声来。

吹响我们的竹笛

○刘国美

琴弦似的山道上，一前一后走着两个兵。他们穿着橄榄绿棉大衣，戴着栽绒帽，前面的高个儿是班长，后面的矮个儿是新兵小王。小王手里拿着一个硬纸板，纸板上用毛笔写着：接韦小丽。

两人翻山越岭，脸蛋经寒风一吹，都绽成了桃花色。

小王说见到韦嫂我要给她敬个礼，感谢她能嫁给我们这些守山人，再求她给班长介绍一个像她一样漂亮的对象。班长说到时把你的话匣子关起来，少给我捅娄子。接着又叹口气说，现在像韦嫂那样的人有几个？

小王见班长脸色晴转多云，便再也不吱声了，他后悔自己说话没遮拦，班长前几天才接到对象的吹灯信——他对象嫌他一直守在山中没出息，提干没希望，又不能回家奔小康，就跟他“拜拜”了。

班长他们的单独执勤点在大山深处，职责是守护隧道。当班长带着他的一班人马开进执勤点换防时，兵们一个个手舞足蹈，像娶了新媳妇一样，对着大山又喊又叫，快乐无比。

但几天高兴劲儿一过，就像霜打的茄子——蔫了。这里荒无人烟，虽然每天守在隧道口，也只能看火车嘶鸣着来去匆匆。如果说“白天兵看兵，晚上看星星”有些夸张的话，他们也只能加上一句“白天看火车，晚上听鹿鸣”。这种静谧的环境对世外高人修身养性的确是个好去处，但对于一群十七八岁的兵来说就有一种窒息的感觉。随着时间的流逝，班长上山时带的一副扑克牌被玩得四个角都变成了弧形，厚度比新买时增加了近一倍。班长是吹笛高手，他到山上砍竹子自制竹笛像武器一样给班里每人配发一支。在他的培养下，现在兵们能合奏《三大纪律八项注意》、《咱当兵的人》等好几首乐曲，但兵们还是感到无聊，在这一群男子汉的国度里说话开始变得无所顾忌，各地骂人的方言土语在这里发挥得淋漓尽致。

班长发现兵们有些失控，便宣布一道命令：从现在起有对象的把你们对象的照片都献出来贴在墙上，谁要是说一句脏话大家都在他对象脸上亲一口，没有对象的说脏话罚蹲马步半小时。这一损招果然奏效，兵们都不愿别人亲自己的心上人，也不愿蹲带惩罚性质的马步，语言一下子文明多了。

排长就是这时候上山的。排长发现照片后说，班里不准贴女人照，这是规定，让班长取掉。班长说了事情的原委，兵们也都来求情说，班长这一招虽损，但我们每天执勤归来进门就能见到自己对象含情脉脉地望着自己，心里就不空虚了，求排长网开一面。

排长说既然如此，将在外军令有所不受。我同意了。当然，我也应该接受大家的监督。于是就把妻子的照片取了出来。兵们一见，不禁啧啧称赞。排长的妻子长得真美。兵们就把排长妻子的照片贴到其他照片的上端，并称之为女儿国的皇后。当然也不忘了时刻监视排长的一言一行，总想他偶尔冒出一句脏话也好占占便宜。但排长毕竟是排长，始终没有让兵们得手的时候。于是有几个调皮鬼常常趁班里无人的时候，偷偷在排长妻子的“脸”上使劲儿亲上几口。

班里接到排长妻子来执勤点过春节的电报时排长到省城培训去了，过两三天才能回来。班长便命令兵们把衣服床单被套洗得干干净净，被子叠得有棱有角，并特意布置了一间客房，里面收拾得干干净净。他说要用美好的环境和良好的精神姿态迎接排长夫人的到来。

接站那天，班长说他要亲自去接，这样才能体现对排长夫人的尊重。

其实他心里也有想先目睹一下排长妻子丽容的私心杂念。

班长和小王翻了两座大山走了十几里山路到小站后又等了两个小时，终于有一列客车缓缓开到小站停下，抛出几个人后又“哐当哐当”地开走了。班长发现一个穿火红色呢大衣，脖子上围着一条白丝巾，戴着一个大口罩的年轻女子看了看小王手里举着的牌子后微笑着向他们走来，他们猜想肯定是排长夫人，忙迎上前去问，你就是韦小丽？年轻女子点了点头说就是，你们是来接我的吧？班长说，排长培训去了，过两天才能回来，我和小王代表排长也代表全班守山人欢迎嫂子的到来。韦小丽忙说，谢谢！谢谢！小王扔下纸板跑过去接过韦小丽的旅行包背在自己肩上，说，我们天天都跟你见面呢！班长白了小王一眼说，他说的是你的照片。

韦小丽笑着拍了拍小王的肩膀说，你说话真逗。

走着走着小王又关不住话匣子，说，我们排长真有福气，能娶上你这个大美人。又说，我们排长心眼儿可好呢！那次我生病了，他到树林中给我掏鸟蛋做病号饭，差点被毒蛇咬了……

小王把自己知道的排长的逸闻趣事一股脑儿向韦小丽道来，韦小丽笑着说，瞧你，把你们排长说成了一朵花。

小王说，你才是一朵花，我们排长应该是一只美丽的蝴蝶。

一句话逗得韦小丽和班长都笑了。

到了执勤点，几个兵夹道欢迎，一个个把巴掌拍得山响，场面颇为壮观。韦小丽感动得流下了热泪。

小王把韦小丽领进客房，打来一盆洗脸水，说，嫂子，洗脸吧！韦小丽解下口罩，小王一见，顿时“愣”在那里，好一会儿没反应过来。韦小丽满脸疤痕，与照片中的韦小丽判若两人。小王感到受了排长的愚弄，心里很不是滋味——排长拿一张美女的照片哄人呢！

韦小丽看到小王的表情，忙转过身说，小王，你忙去吧！

小王把消息通报全班，兵们都不相信，一齐拥到客房，见韦小丽真如小王所说，顿时都有一种莫名的失落感，连韦小丽递过来的水果吃在嘴里也觉得并不香甜。

回到宿舍，兵们都蔫蔫的，不知谁悄悄把韦小丽的照片取下来贴到了其他照片的下方。

排长回来后见兵们似乎与他拉开了一段距离，也没解释什么。

除夕夜会餐时，排长多喝了几杯酒，酒后吐真言：那时我还在S县中队，没有调到这里来。我和妻子正度蜜月，有一幢家属楼起火了，我们前去救火时她非要跟着去，没办法就让她去了。到了火灾现场听到一个房间里传来小孩的哭声，她是幼儿教师，最疼爱孩子，没等我反应过来，她就冲进去了，等我们把她和小孩救出来时她手里还紧紧抱着孩子。她就成了现在这个样子。排长又“咕”地喝下一口酒，说，你们嫂子现在是不是很丑？

第二天，排长夫人的照片又回到了原来的位置。

定海神针

〇晓　立

一片不平静的海湾。这里除了日夜不断的涛声，还有机械的轰鸣和无数繁忙的身影。茫茫海水的围堰中央，一座跨海大桥的主塔基础正在开掘。

无风三尺浪哟，在这片海湾，长年风大浪高，可想施工的难度有多大。只有把桥的基础设计近六十米深，才能保证主塔的稳固和安全。指挥长忙碌的身影告诉人们，时间就是金钱，敢拼才能生存。

然而，随着基础的加深，海水对围堰的压力越来越大。海浪的冲击，发出一阵阵“哗哗”的震响，不时有水滴飞迸进施工现场，若晴空中的细雨。

尽管每个人都着雨衣，戴安全帽，但面对四周的围堰，有些工人恐慌了……

建设这座跨海大桥，创下了长度最长，跨度最大，所用钢索最长，主塔高度最高四项世界之最，且完全是由中国自行设计、施工建造的。许多人知道，如跨度超过了千米，目前在世界上就是个奇迹，被外国专家称为“极限”。正因有了这样的极限，主塔的高度才设计为三百多米，像一把利剑直插云霄，雄壮着天地之魂。

眼下，主塔的基础挖掘要停下来，这怎么得了?!

管理人员、安全人员忙开了，进一步阐明了工程的重要性，指出了围堰能抗住几百吨的压力和十级的强台风。安全是有科学保障的，我们不会拿工人的性命开玩笑！可嘴皮子要磨薄了，当工程进行到一半的当儿，看到随时有垮堰危险的人们，几乎没有人再有这个胆量下去干活了。

——我上有老下有小的，挣几个钱不容易，绝不能拿生命当儿戏呀。

——谁说不是，这要是垮了，所有人一个也跑不出来，都得变成油锅里的鱼啊……我是不敢干哟！

——工人的命也是命，谁不只有一条命啊……

“说得好！”

随着这一嗓子，一位五六十岁的老者噔噔噔地走了过来。他头戴橘红色的安全帽，下边显出两鬓白发，双目炯炯。

他就是工程的指挥长，肩负着建设大桥指挥的重任。他与共和国同龄，一生建设的大桥无数，仅具有现代化水平的就有五座。大桥开工三个月了，家就在海湾对面的他，却一次也没回去过，只给老伴打过两次电话，告个平安。尤其近些天，他身体有些不支，脸明显消瘦了许多。总工和其他人劝他休息几日，也好检查一下身体。他只是摇了摇头，步履匆匆。

现在，他站在高处，放眼黑压压的人群，尤其那一张张充满恐惧的。他的目光，越过人群和那高大的设备，遥望茫茫的碧海和海湾对面拔地而起的新兴城市。多少年来，是海湾阻隔了跨越，曾折断了几多腾飞的翅膀……

他的眼前，一下展现出壮美的图景：绵绵36公里的跨海大桥，像一条降服的巨龙长卧于碧波之上，辉映着光与影，天堑变通途……

“看我的！”

陡然，指挥长二话没说，就“噔噔噔”地奔向基础现场。有人过来劝，他头也不回，一口气下到了工作面。

大家一下明白了什么，谁也不敢怠慢，争先恐后地下去。

工程恢复，进度加快。在主塔基础施工的这段日子，他时刻不离现场，同工人一起吃，同管理人员一起研究方案。有人给他拿来了个小凳子，累了也好休息一下。他幽幽地说："小凳子虽小，责任却重大啊。有我在这里，你们就有主心骨，别说大海，就是老天爷也不能把咱怎么样！"

然而，长久的潮湿、噪声和疲劳，让他日益消瘦，风吹日晒使脸愈加黝黑。

大桥基础出海面那天，他却晕倒了！

人们流泪了……

出院后的指挥长，精神依然，双目依然炯炯。他没有忘记工人兄弟们的鲜花，更没有忘记肩上沉甸甸的责任。当他看到主塔已经到顶，红旗在上空飘扬的时刻，泪水模糊了视野。他暗自攥紧拳头，誓要亲手完成这座大桥，给世界一个人间奇迹。

眼下，大家都清楚地眺望到，在海面上高高耸立的主塔，那么像定海神针，给人无限的遐想，无限的希望。

主塔造型，竟是一个顶天立地的"人"字！

法官旦巴

○田洪波

我没想到会成为旦巴的助手。我想领导这么安排肯定是有意让我从旦巴身上学点儿什么，尽管许多人对旦巴的做法并不怎么“感冒”，私下里都管他叫和事佬，那是绝对带有贬义的词儿，当然也包括我在内。他长得十分瘦小不说，每天脸上总是没来由地挂着微笑，即使是面对愁容不展满腹冤屈向他倾诉不幸的那些藏民，那抹微笑依然会或浓或淡地挂在他的脸上。

我不知道领导让我向他学习什么？在这人烟稀少的甘南地区，旦巴可是身兼数职的主儿——既是法官大人，又是所谓的人民调解员，以及光荣的警察和治安员。他好像哪方面都做得很“出色”，又哪一方面都不足以勾起我认真揣摩学习他的兴趣——他那每天上下班手里拎着破皮包儿，又放楷米巴又放法律宣传单的作风，足以让我这个刚走出校门不久的大专生嗤之以鼻了。

早听说他的胃被切除了三分之二，但这似乎不该是我刻意关心的事儿……成为他助手的唯一“亮点”是我有了一把手枪。它曾让我一瞬间有些激动——在办公室里以一只苍蝇为靶子，练起了瞄准儿，并且小声模拟手指扣动扳机的声音，直到被一位贸然闯进来的藏族老阿妈打断。

“你找谁?”我未免有些扫兴。

藏族老阿妈告诉我她叫吾金吾吉。个把月前她再婚的事儿在旦巴的调停下已经有了圆满的结局，先前反对他们婚事的妹妹和侄儿都想通了，觉得七老八十的人再婚也不是什么丢人现眼的事儿。她今天是特意来感谢旦巴的。

于是我把吾金吾吉老阿妈引到旦巴办公室。吾金吾吉老阿妈打开一个布包，捧起一把红莹莹的草莓放在旦巴的办公桌上。

“谢谢旦巴法官。我没什么可表示谢意的，这是我今天起了个大早上山采的，新鲜着呢……”

我又看到了旦巴脸上的微笑，只是那笑里有些拘谨。

“大妈，我们不收任何人馈赠的。”旦巴用双手又把草莓推了回去。有一瞬间他的眼里居然闪过一丝儿泪花。

吾金吾吉老阿妈向我投来求助的目光……我知道自己不能无动于衷了：“阿妈的这点儿心意好像也不过分吧！”

“好吧，尝尝。”旦巴拈起一颗带有泥土的草莓放进了嘴里，另外抓了几颗放到我的手里：“这回行了吧阿妈？”

我代表旦巴送走了吾金吾吉老阿妈。刚回到法院办公室没一会儿，就见旦巴表情痛苦地从卫生间出来。他自嘲地向我笑了笑：“我这胃，娇贵得很呢，刚吃下的东西就有了反应。”

我不置可否。

结果没多久，我在办公室刚想继续练习枪法又被旦巴打断了。

“快和我上阿拉木牧场去一趟，有大事儿。”不容我分说挥了手就走，“对了，把枪带上！”他还回头叮嘱了我一句。

我一下子兴奋起来。旦巴一面开动破旧的三轮摩托，一面向我介绍了此次要执行的任务——阿拉木牧场一位叫才让的小伙儿准备皈依佛门，他将妻子全家赖以生存的10头牛羊赶着去了寺院。按照藏俗，小伙儿一旦入了佛门，他带去的财物将不得追回！

我的第一个想法就是这事儿挺新鲜——既进一步了解了自己未曾听说过的甘南民俗风情，也有了真正见识一下旦巴调解水平的机会。

我们赶到牧场又换乘上两匹马。那位小伙儿的岳父介绍说，小伙儿已经走大半天了。

我们快马加鞭。我第一次感受到时间对于一个人的重要！

随着天色愈来愈暗，我和旦巴也变得十分焦躁，终于在一个崎岖的山坡处，一个马失前蹄，把旦巴狠狠地从马背上摔了下来。他的那个破皮包也一下子飞出去很远。

我赶紧下马搀起了他。让我吃惊的倒不是他的伤势，而是无意中窥到的绿莹莹的眼睛正慢慢向我们包抄过来。一瞬间我的头发都立起来了。

无疑，那是一群正在觅食的饿狼——怪不得旦巴让我带枪呢，原来这家伙早有思想准备！

"快点跟我捡干草！"旦巴咬牙站了起来。我们分头找来干草和土粪，旦巴掏出打火机迅速把它点燃了……直到此时，他才小声呻吟起来。

狼的嗥叫一声紧似一声。旦巴潇洒地朝天放了一枪。我立刻有一种兴奋感，也跟着放了一枪。

已经退后的狼群还在伺机行动。旦巴打开了那只破皮包，扔向了狼群——五彩斑斓的法律宣传单漫天飞扬，将一群狼吓得有些不知所措……

我们终于熬过了惊心动魄的夜晚。

撵上那个赶牛羊的小伙儿时，我憋足了劲儿想上去教训教训他。旦巴却微笑着把我拘住了。

他低声下气地给那小伙儿敬了一支烟，然后他们就头勾着头，悄悄在一旁交流起什么。

少顷，我看见小伙儿笑了，旦巴的笑也灿烂起来。我走过去捶了小伙儿一下："你怎么没被狼给吃了？"

"我和你们走的不是一个道儿。"小伙儿居然羞赧起来。

"真有你的！你这个大法官，不简单！"我冲旦巴竖起了大拇指。

这回，我是由衷的。

凤凰眼

○田双伶

茶人老陆，本性喜茶，经营茶叶多年。他却不像别的茶商忙着谈生意，而是每天端着紫砂壶，乐呵呵地和人品茶对弈，颇具陆羽遗风。

可做生意毕竟不是品茶，总是风云变幻的有赔有赚，这不，命运偏偏给了他一个莫大的讽刺。

望着乐呵呵优哉游哉和人下棋的老陆，茶城的人说，还乐得起来，他心里都愁大发了。

谁都知道老陆的仓库里囤积了一百多吨的普洱茶，说是囤积，其实是阴错阳差留下的。六年前那天，他带着钱准备去把龙湖花园的房子订了，售楼小姐领着他正在鸟语花香的小区里转，走到一棵香樟树下，老陆的手机响了，是茶城的右邻老江打来的，说他一个亲戚在一家老茶厂供销科当科长，最近厂子破产了，库存在仓库里的茶全部低价处理掉，问老陆要不要。

老陆问，都什么茶?

前些年销路不太好，都是些陈茶。老江说，我现在是手里没有资金，你看着要吧，淘底儿货没有个赔的。

老陆想了想，打了个车就去了茶厂。老江的亲戚领着他在仓库里看，一摞摞，一箱箱，全是陈年的普洱饼，多数是凤凰沱茶。那人说，厂子不行了，人们还等着多少卖点钱补贴一下。价格实在是太低了，老陆盘算了一下，怎么都不会亏。就是那一天，他以回家和老婆吵了一架为代价，用买房子的钱买了整个仓库的陈茶。

就是那次买茶的冲动，让他这几年的日子艰难起来。他的店里绿茶、花茶销路都不错，普洱却无人问津，他用卖绿茶的钱养亏损的普洱。原本拿钱买房子给自己住，结果用钱买了茶，还要不停地给茶买房子，越来越活不转，烟钱还不时地被老婆扣。老江眼瞅着老陆的生意冷清，心里惭愧得很，见着老陆就连连自责，而老陆却冲他摆摆手，连声赞叹杯里泡的凤凰沱：你看看，色泽褐红汤色明亮，你尝尝，香气馥郁回味尤甘，好茶啊。别愁，总会有懂茶的人来品的。

一天，在茶城闲转悠了半天的那个人走进了他的茶店。那人说是台湾来的，他用浓重的闽南口音和老陆聊了半天的普洱经，又品了几种陈年的普洱，临走时老陆连卖带送地给了他两块印有“1975”的凤凰沱茶。

过了没几天，老陆接到一个电话，那个买凤凰沱的台湾人说，你那里还有多少这种茶？老陆笑着说，几十吨呢，够你要的。没想到，第二天那人就签单订货了而且还拉起了长线。

老陆在一缕缕的烟雾中眯起眼睛看着手里的订单，他感到普洱的神话开始了。

谁也没想到茶文化渗透得如此之快，普洱开始热销，价格扶摇直上，老陆专销普洱自然占了风头。茶城的人都知道老陆发了财，但不见暴发的样子，还不是躲到别处偷乐去了？

当然躲不到哪儿去，他不过是背个包跑到山里的茶场，对着满目的青绿悠哉地晒太阳或是摆兵布垒和人下棋罢了。

春末的一天，忽然有人来茶城搜集春城出的凤凰沱茶。那人看来是个行家，说，看这种茶主要是看凤凰的眼睛，双眼皮的是上品。几家茶商忙回去翻了仓库，倒是找出了几摞。老陆在一旁听了，也回到仓库把那些存货翻出，确实挑出不少双眼皮的凤凰沱，他看看茶饼上两只展翅欲飞的红凤凰，撕开看看内飞的纸质和字体，又掰了块碎茶，放到杯里泡了，仔细啜饮。末了，他随手将茶饼扔到了茶垛上。

双眼皮儿的凤凰沱茶一时成为珍品，价格猛涨，可这种茶市面上很少，全茶城只有老陆的库存多，但他却不卖。他不卖，单眼皮的凤凰沱价格也涨不上去，几个茶庄的人都来找他，说老陆你被钱烧了还是怎么了？市场上双眼皮的凤凰沱都空了，你要是还压着不卖，不是乱了规矩吗？

老江也劝说他，你那几年受够了压货的苦，还不趁着行情好卖个好价钱补补亏空。

老陆说，一样的凤凰沱，为什么还要分出个贵贱糊弄人呢？

话说得僵了，茶城的人来调货，老陆阴沉着脸抱着紫砂壶走了。几家茶庄的人恨巴巴地说，老陆这次还要囤积，等着卖高价呢。看吧，以后有他的好。

突然有人说，有几家老客户收到了老陆的凤凰沱，价格没变。茶商们都快疯了，就是找不着老陆。他们要把老陆恨死了。

只有老江知道他的性子，终于在老陆常去的茶场找到了他。老陆正在山坡上和一个茶农下棋。老江说，茶城的人都快被凤凰沱搞疯了，等着算你的账呢，你还有心在这儿下棋？

老陆磕了磕烟斗，说，什么单眼皮双眼皮的，那是印刷时的错影。普洱茶的标志，是它的外包装和内飞。我看过，这两种内飞的纸质字体都是一样的，味道也没有丝毫差别。买茶卖茶不能只靠标贴，还要用自己的嗅觉和味觉，靠个什么单眼皮双眼皮的噱头去赚钱，算什么做生意？做我们这行的，外行卖外行，图个热闹；内行卖外行，讲究实诚；外行卖内行，学个门道儿；内行卖内行，以心换心。你看看，这满山的茶都是云雾所养，天涵之地盖之人育之，除了制茶工艺上的不同价格上有个区别，有什么贵贱之分？我就不信了……

老江张口结舌望着他半天没愣过神，老陆忽然止住了话问他，你看什么看？

老江眨了眨眼笑了，嘿嘿，没事儿，我看看你是单眼皮儿还是双眼皮儿。

奉国镇的妹子

〇何　晓

那个妹子爱上我了。杜易辉通过镜头望着梨花丛里的杨曼妮，对罗志文说，你信不信？只要我开口，她准会答应跟我去城里。

杜易辉是早上才来奉国镇的，他人还没到，就在电话里催问罗志文，模特找好没有？

罗志文那个时候，正跟杨曼妮站在镇政府大院的门口摆龙门阵。

政府大院就在奉国寺左侧，是咸丰年间一个返乡官员的老宅，呈“多”字形结构，杜易辉以前来过几次，很熟练地就把车子停了进来。

罗志文迎上去，边跟杜易辉握手，边对他说，那位是曼妮妹子。然后他又对杨曼妮说，这位是……

他后面的话还没出口，杨曼妮就玩着她的大辫子，眼睛亮晶晶地看着杜易辉，脆生生地抢着说，谁不认识他啊？是财神爷杜老板嘛。

杜易辉一听这话，脸上的笑容越发灿烂了。三个人客气了几句，便一起到了梨花沟。杨曼妮在梨花丛里闲逛，杜易辉和罗志文摆开架势拍照片。

跑了几条山沟后，罗志文端着相机，瞟了杜易辉一眼，问，你这次来当真就只是为了拍梨花？

杜易辉“咔嚓、咔嚓”按着快门，随口回答，那当然。

有些话，他怎么能直接跟罗志文说呢？奉国镇周围的梨花沟，早春时候，满山满沟雪白的梨花要吸引来大批的游客；仲秋以后，满山满沟黄澄澄的大雪梨要吸引来大批的商家——这里的梨子自古就有名气，早些年全靠人力背到阆中古城，再靠船运到嘉陵江、长江沿岸的大城市，现在省道302线修好了，就可以直接用卡车往外拉。正因为这两点，只等公路修好，杜易辉便率先跑来投资。奉国镇最出名的是奉国寺，所以他打定主意，要先抢占了这块风水宝地，在奉国寺后面的山坡上，修一座现代豪华宾馆，然后两年内把奉国镇建成川东北最大的水果加工基地。虽然他的方案已经放在罗志文的办公桌上了，他也是特地找机会来和这位镇长同学套近乎的，但他却不希望罗志文看出他在搞“摄影外交”。

只是杜易辉万万没有想到，正是他那个自鸣得意的方案，近几天来一直让罗志文坐卧不宁：奉国镇是个古镇，可申请保护的工作才刚刚开始，如果他同意杜易辉的方案，整个场镇的建筑格局就会被破坏，从文化传承的角度来说，他这一任镇长是千古罪人；如果他不同意杜易辉的方案，杜易辉就会撤资，从经济发展的角度来说，他这一任镇长还是千古罪人。

罗志文正在两难时，听到杜易辉这样说杨曼妮，心里更是不高兴：只听说你在生意场上是有名的“任我行”，却原来在情场上也是如此霸道！他长出一口气，干笑着说，行，就赌今天的午饭，老酸菜炖构溪河的鲜鲤鱼。

杨曼妮看到镇长和杜老板都在收拾相机和三脚架了，忙把双手捧拢放在嘴边做成喇叭状，高声叫道，收工了？我回家帮妈挂面去。

罗志文看到杜易辉满脸的疑惑，忙解释说，杨曼妮家因为房子宽大，开了一间挂面店，自家收麦子、打面、做挂面，挂的面晒在转角的大屋子里，用吹风机吹干后再批发出去。

杜易辉听了，摆着手对杨曼妮说，耽误了你一上午，我想请你去镇上的馆子里吃顿饭。

杨曼妮嘴上说，不用吧？但脚步却没有停，跟在两人后面就往镇上走。

老酸菜炖构溪河的鲜鲤鱼端上桌子了，杜易辉和罗志文忙着给对方敬酒，杨曼妮独自吃着鱼。

杜易辉和罗志文碰了一下酒杯，偏着头问杨曼妮，等会儿和我一起进城，好不好？

好啊！好啊！杨曼妮想也没想，就放下筷子回答。因为激动，她的小脸红得像桃花瓣。

杜易辉得意地笑了，把杯里的酒一饮而尽。

罗志文埋着头吃鱼，假装没看到。

但那杯酒才下肚，杜易辉脸上的得意就不见了，因为他听到杨曼妮接着说，杜老板您带我去看看阆中古城那些民居客栈吧，听罗镇长说，我们奉国镇要申请国家历史文化名镇，很快的，我就有机会把自家院子办成他们那样了。

杨曼妮说完这话，看到眼前的两个男人都痴呆呆地望着自己，一下子吓得站了起来，问，我说错什么了吗？你们……你们慢慢吃，我先走了。

目送杨曼妮出了院门，杜易辉愣了好一阵，才拍拍罗志文的肩膀说，我想改变原来的方案，在这里建一座古民居式的宾馆，你觉得怎么样？

罗志文脱口而出说，我打算把镇政府卖给你，然后用那笔钱来搞搬迁，搬迁到哪里我们可以协商，总之要方便你建水果加工基地。

杜易辉使劲擂了罗志文一拳，说，你这家伙，原来是早有预谋呀！

不，我也是才明白的。

罗志文透过雕花的木窗，看到杨曼妮在青石板街道上走着走着，突然把大辫子从胸前甩到了背后。

港商的便条

〇闲　云

终于有人愿意来本地投资办厂了，靠山乡领导无不欢欣鼓舞。

为了接待好即将到来的香港大老板，郝乡长一夜没合眼。唉！靠山乡真的穷怕了。全乡人均耕地不足四分，而且全是兔子不拉屎的山坡地，全乡人民的生活水平长年处于温饱线以下。乡里除了一家濒临倒闭的农具厂（只能生产锄头镰刀），再无像样的企业。虽说乡里积极响应了县里招商引资号召，也曾派员到外地专事招商，但是许多被连哄带骗才答应前来考察的外地客商，车子没到乡政府就回头了。为啥？因为连通往乡政府唯一的一条石子路都坑坑洼洼崎岖不平，其他情况就可想而知了。这样的自然条件怎能引起人家的投资兴趣？现在好了，一位祖籍本乡的港商终于愿意来投资办厂了，你说乡里能不倍加重视吗?!

天亮了，乡政府所有工作人员也都提前到了各自的工作岗位。尽管昨天各项工作均已安排就绪，但是为了确保接待工作万无一失，郝乡长还是挨个检查了一遍，比如卫生安全、伙食安排、张贴欢迎标语等等。

临近中午，一辆豪华轿车终于开进了乡政府大院。列队欢迎的工作人员众星捧月般把那位矮胖富态的香港大老板簇拥到会议室内。郝乡长首先代表全乡干群对香港大老板的到来表示最最衷心最最热烈的欢迎，尔后又详细介绍了本乡的自然情况，最后对大老板来家乡投资办厂表示最最衷心的感谢。听了郝乡长一番热情洋溢的讲话，那位港商当即表态一定要为改变家乡的贫困面貌做点贡献。

午饭时间到了。港商在十几位乡里重要干部的陪同下，来到了乡政府餐厅豪华包间里分宾主落座。当港商看到上的酒是价格昂贵的“五粮液”、烟是非常难买的“大熊猫”时，很是吃惊。郝乡长解释说，这些都是派人进城专门采购的。港商没说什么，只是若有所思地点了点头。开始上菜了，港商再次睁大了眼睛。为什么？因为这桌菜实在太丰盛了，真可谓“山中走兽云中燕，陆地牛羊海底鲜”应有尽有。

郝乡长宣讲了简短的祝酒词之后，宴会便正式开始了。为了表示靠山乡人热情好客，郝乡长及前来陪客的大小干部们轮番向港商敬酒。尽管港商每次只象征性地喝一点点，但是“久经（酒精）考验”的乡干部们个个都是一饮而尽，豪爽至极！他们还“各找对象”相互敬酒，宴会气氛很是热烈。

不知过了多久，这桌价值数千元的筵席终于杯盘狼藉了。港商的小车也绝尘而去。

第二天上午，郝乡长在秘书的陪同下，应约来到县宾馆找那位港商签订投资协议书。当宾馆总台小姐知道他们是靠山乡来人时，当即告诉他们港商昨晚已经退房走人了。她还递给郝乡长一张港商的留言条，留言条上的内容是：

郝乡长，谢谢你们的热情款待。你们昨天那桌丰盛的酒宴，让我知道了贵乡为何一直没有脱贫的原因所在，同时也让我取消了在贵乡投资办厂的计划。记住：勤俭是财富的根源。请原谅我的不辞而别。

一位见不得浪费的商人

郝乡长看完便条上的内容，愣在那里半天没说话。

好　事

○田洪波

起初，老马买鳖放生的念头是在一次聚会的饭桌上冒出来的。老何请了他们六位相好的，压轴戏是一盆王八汤，据说，那只王八少说也有六七十岁。

老马虽然喜吃，但不大推崇滥杀被列为禁杀的野生动物之类，自然，那王八汤喝起来无滋无味。

老马甚至认为自己也成了帮凶。

于是，这之后他决意买鳖放生。他觉得，唯有在买鳖放生上，才能制止一些人的疯狂。

老马说干就干，而且第一次就花三千元买了六只鳖，然后，分头通知另几位相好的，重点是通知老何。

老何认为，老马简直是吃饱了撑的，但还是忍不住前去看个热闹。老马选择放生的地点是青山湖印月潭，放生时，湖边聚集了百十来号看热闹的人……老马的此次举动，竟然还惊动了新闻单位……于是，随后老马还上了报、进了广播。

此事无疑是一个壮举，被人们热闹地炒了几天，老马随之也过上了几天滋润的日子。这日，老马受一种动力的驱使，又到卖鳖蟹的小街闲逛。猛然发现，大个李的鳖蟹盆里放着几个有些眼熟的鳖，老马就走上前去，把鳖翻来覆去地瞅，又狐疑地盯了大个李好一会儿。

“干吗呀？”大个李被瞅得不满了，“这王八是你们家养的？”

“不，不是。”老马缓过神儿来，又马上端正一副面孔，“你这鳖我全包了！”

虽然价格较上回买时贵了些，老马还是毅然决然地买下了鳖。回到家，他细心地将鳖逐个刻上了记号。然后，再一次发动家人放出放生的口风。家人对老马的举动一开始是不太投赞成票的，特别是老伴，认为有这份儿闲钱，干什么不好？就是干，有一些单位愿意与之合伙干，也可以省一些钱呀！可是，家人很快又达成了共识，因为他们越来越认为自己这是在行善好事。鳖通人性，据说，有时候把它放了还会再寻回来。有报道说，某某人还因此得到了鳖的报答。这样的行善好事，总会感动上苍从而降福运于自己的！

这一次放生，照例是大张旗鼓，吸引了不少人。但令老马气短的是，第二天，他又在大个李那儿发现了放生的鳖。老马当然当仁不让：

“喂，这鳖我都作了记号，你还有什么要说的？”

不想，老马的责问，换来的却是大个李的淡淡一笑：“作了记号就是属于你的？那这青山湖是属于谁的？”

面对大个李这号死不要脸的人，老马自然不屑与他辩个是非，他赌气地还是要买下鳖再行一次放生，但大个李却要更高一倍的价。大个李还嘻嘻笑着说：“我弄回它们可费了好大劲儿，物以稀为贵，这可算不上什么敲竹杠！”

老马铁青着脸上储蓄所取钱。然后，气呼呼踅回小街，与大个李一手交钱一手交货。这回放生，他征求了家里人的意见。结论是，再放青山湖印月潭已不合适。大个李还会不费吹灰之力将它们据为己有。他不仅是打鱼出身的，他还可以用钱打发一帮“狗腿子”为他卖力。距小城几公里远即是青山湖的下游。那儿水深，历来被人称为鬼地。大个李能有那份儿胆量？那就让他去吧——出了事儿可概不负责！老马觉得，此计可行是可行，但还有一条也很重要，就是此次放生，不可再兴师动众。这次，老马选在了一天凌晨放生，全部随从都是家人。

这一招儿果然奏效。此后，老马几次从大个李那儿走过，都发现大个李面前的盆里不过是一些横七竖八的虾蟹。老马很得意，故意几次都用笑眯眯的眼睛瞅大个李。大个李的面部也说不上是什么表情，只是咬着牙帮，一直目送老马走远。

但老马又知道，大个李是不会甘心的，于是，在某一天抽空去了青山湖下游一趟——知道去了也看不出什么，但就是放心不下。结果，老马就发现大个李的三四条船正在湖上行着，大个李垂头丧气地站在湖边。大个李的脚下是那五六只被放生的鳖——只不过，它们都已经死了。老马急了，涨红着脸上前质问大个李。大个李对他却丝毫不客气：

“这跟我有什么关系？它们早就死了！我把它们打捞上来，你还得感谢我呢！”

“是你杀了它们，是你杀了它们！”老马不依不饶，用头去撞大个李结实的身子。

大个李被老马的疯狂吓得连连躲闪……

事后，有专家对此作出结论。鳖是缅甸陆鳖，常年嬉戏于山地、溪沟之中，并非生活在水中，放之于湖，自然难以适应，死是自然的，只不过是时间早晚的问题。

老马好不沮丧，几天闭门不出。他不知道这该怨谁。是怨这地域条件的限制，还是他老马或者大个李……

老马再出门时，已很少再到卖鳖蟹的小街。有闲不住嘴巴的问他何时再放生，老马就用眼睛狠狠瞪对方一眼，然后欷叹惋，自想昔日的辉煌，让一种不太甘心的失落感，伴着自己去想去的地方，干该干的事儿。

回家的路有多远

〇李世民

宽阔的大街上，来来往往的车像鱼一样地穿梭，只有民工王山的这辆板车，像一只受了伤的蜗牛，缓缓地爬行。

在一个广告牌下，王山停住了，他擦了一把脸上的汗水，抬头望见路边那排梧桐郁郁葱葱的样子，王山觉得眼里咸咸的，又酸酸的。王山闭上了眼，好像看见了田里的玉米苗呼呼往上长的样子，王山好像还看见了媳妇怀里的儿子呼呼往上长的样子。

王山回过头来，又弯下身子，卖力地挪动着那辆死沉死沉的板车。

板车的车胎已经没有气了。

车胎里的气，是王山放的。

还是上午上班的时候，工头对王山说，你到仙人路去一趟。王山闭上眼都知道去仙人路要拐过三道弯，穿过两个天桥，走过六个十字路口，王山当然还知道，工头让他去仙人路的什么地方干什么。

其实，这种能走出工地去穿街过巷，是让工地上的民工个个跃跃欲试的活计。

只有王山讨厌这样的活计。说穿了，不是王山讨厌这样的活计，而是王山讨厌那个胖乎乎像泥捏的气吹的一样的赵科长。

工地是单位的家属楼，六层。在工地上，民工们最怕的人是工头，这里面也包括王山。工头对张三说，你去推沙，张三就去推沙。工头对李四说，你去搬砖，李四就去搬砖。如果工头对王山说，你给大家唱几句，王山就会把嘴张得像瓢一样扯着嗓子吼：亲爱的你慢慢飞，小心前面带刺的玫瑰……在工地上，工头只怕一个人，那个人就是赵科长，赵科长说，这堵墙不正，扒了重新砌。工头就会张牙舞爪地指挥民工们把那堵墙扒了。赵科长说，这块楼板不用了。工头就会竖眉瞪眼地招呼民工们把那块楼板挪了。如果赵科长对工头说，去给我买包烟，工头就会像蚂蚱一样连蹦带跳地向对面的超市奔去……

第一次，也就是家属楼刚开工没多久，工头让王山去仙人路送钢筋，那时候的王山很单纯，他想：为什么要往仙人路送钢筋呢？王山这样想的时候，没有一丝杂念。当然，工头安排的活，王山很愿意去干，而且，王山还可以行走在大街上，让城市的新鲜和神秘来刺激自己干涩的眼睛。而且，就在那天中午，赵科长还把王山带进“雅雅餐馆”，让王山吃了一碗漂浮着葱花飘散着牛肉味道的烩面，那碗烩面给了王山一种掩饰不住和无法表达的美好感觉……

后来，王山去仙人路的次数多了，究竟去过了多少次，送了多少水泥钢筋和地板砖，王山自己既数不清楚也说不清楚，但是王山越来越明白，工地上的家属楼，是公家建的，仙人路上的小楼，是私人建的。

后来，城市在王山的眼里已经不那么新鲜和神秘了，牛肉烩面的味道也不是那么美好和无法表达了，甚至，漂浮着葱花和飘散着牛肉味道的烩面让王山感到了恶心和反胃。

王山虽然不想去仙人路，可是，每一次，工头都是让王山去。王山知道，工头这样做有两个意思，一是王山对路程已经熟悉了，二是工头不想让更多的人知道这样的事情，而且，王山是一个不爱说话的老实人。第二层意思，是王山自己猜想的。

这一次，王山的板车上装的是水电暖材料，有上水、排水的管道，还有开关、插头等零零碎碎的东西。王山无法准确地计算出这些物品的价值，但是王山知道，自己就是流血流汗地干上半年，也换不来这一板车的东西。

王山痴痴地想，工地上的家属楼会不会有一天轰然倒塌呢，如果那样的话，不仅是赵科长变坏了，工头变坏了，就连自己也变坏了，自己曾经喝了一碗又一碗发霉变质的烩面啊。

王山想走得慢一些，所以，他把车胎的气放了。

板车死沉死沉的。

当看到了仙人路的那一瞬间，王山像突然被毒蜂狠狠地蜇了一下，他使劲地咬了咬下唇，将板车掉过了头。

王山拉着板车走啊走啊，王山想，自己往前走一步，就离仙人路远了一步。终于，王山把板车拉到了河堤上。王山涨红了脸，他恶狠狠地把板车向河里推去，板车在水里打了个旋，消失了。

王山空着两只手，觉得身上干净了许多，心里亮了许多。前面就是铁道了，王山想，沿着铁轨一直走，就能回到自己的家乡了，就能看见田里的玉米苗呼呼往上长的样子，就能看见媳妇怀里的儿子呼呼往上长的样子……

王山不知道回家的路有多远，可是王山还是义无反顾地往前走去。

进当铺的男孩

〇毕淑敏

儿子有一天对我说，他们班同学有一支派克笔要出让，开价人民币一百元整。

这笔是什么来路？不会是赃物吧？我问。儿子说笔的来路绝对正当，是那同学的亲戚送的，他因已有了一支，故将这支卖出，肯定是原装。我看出儿子的渴望，就说，我认为一个孩子现在就用派克笔，有点为时过早。儿子激烈地反驳说，派克笔也是少儿不宜吗？我被噎得没话回答，就说，这笔太贵了，没有那么多的钱。

儿子转了一下眼珠说，您的意思是只要我可以搞到钱，就可以买下这支笔啦？

我当然不是这个意思，但一时也琢磨不出更好的理由回绝。想他一直是个守本分的孩子，手中并无积攒的闲钱。现在离春节还很远，也没压岁钱供他挥霍。只要实行经济封锁，他的梦想就是镜中之花。于是支吾着说，是啊，是啊。

儿子说，买笔的事，咱们一言为定。

我说，钱的来路需光明正大。

儿子说，您就放心好了。

过了两天，儿子把他的世佳游戏机妥妥帖帖地捆起来，结实得好像一个炸药包。我随口问了一句，又要借给哪个朋友玩啊？

儿子龇牙笑着说，这一次不是借给人家，是放进当铺里换点现金。

我吓得跳起来，抚着胸口说，请你把话再说一遍，我大概耳背了，实在听不明白。

儿子说，为了买笔，我需要钱。我检点了一下我的所有财产，就数这台游戏机值钱了。我去当铺里问了一下，大约可当二百五十元，可惜您把发票弄丢了，要不然还可以多当些。

我说，天啊，你小小的年纪就知道进当铺了，长大了一定是个败家子。

儿子奇怪地说，这和败家子有什么关系？反正从现在到暑假的日子，我都没有机会玩游戏机了，放在家里什么用也没有。进了当铺，我就可以用钱买到笔……

我不客气地打断他的话，可是你拿什么来赎呢？医得眼前疮，剜却心头肉。到时候没有钱，你的游戏机就成了死当（我好不容易从以前读过的旧小说中记起了“死当”这个词，用得恰是地方）。

儿子不慌不忙地说，以后我每个月都从伙食费里节省一些，到了暑假的时候就可以把游戏机赎回来了。当铺的库房很严密，还有空调，游戏机搁在那里，真是比家里还保险呢。

我瞠目结舌。面对着这种无懈可击的计划，只能自叹弗如。

儿子说，要是等我慢慢地把钱攒够了，我们同学的派克笔早就拍卖出去了。我觉得当铺没有什么不好的，可以救人急难。

我们的争论告一段落。

后来，儿子还是把同学的派克笔买了回来，用的是我贷给他的一百元钱。

我一再声明贷款是无息的，而且偿还期可以拖得很长，不必他短时间内压缩伙食费还贷，以保障身体健康。

儿子从此用派克笔流利地写作业，但提起此事时，表情却是悻悻的。

他说我给的钱有“嗟来之食”的味道，还是自己进当铺来得理直气壮。

精　神

〇谢志强

终于，她答应陪儿子去吃肯德基了，不过，她说：一言为定，只买一份鸡腿、一杯饮料。这事已经提出有三个月了，她推说我们是享受肯德基的人家吗？儿子列举了班级吃过肯德基的数据，可她一直不松口。

显然，儿子不止一次光顾这种地方了。他远远地指着豪华的门面一侧立着的穿着奶白色西服的模特儿，说：那就是山德士上校。她觉得那位老人显得富态而又慈祥。

厅内，宽敞，宁静，只有三对青年分布在不同的角落。母子俩选了张离服务台不远的桌子。桌面摊着一张报纸，他掀起说：姆妈，你看。

一张 10 元面额的纸币和八个 1 元面额的硬币。她惊讶了，脱口说：你说怎么办?

他说：交给老师。

她笑着说：也好，这个店收进了恐怕吞没了。

他收起钱。她禁不住四下望了望，她像是在做一桩丢人现眼的事儿。她的心“怦怦”地跳。其实她心里真想白捡了这钱，只是儿子在场，他还小。

服务小姐端来了一个鸡腿，一杯可乐。她当即付了款。她奇怪地想：竟不能将 18 元用来支付这个诺言。那样的话，她也能点个便宜的点心，毕竟首次坐进这样的环境呀。

他说：姆妈，你呢？

她说：你慢慢吃，到时候我可要问你什么滋味呢。

他递过来说：姆妈，你尝尝。

她摆摆手，说：我不喜欢吃鸡，你慢慢吃，姆妈陪你。

他遗憾地说：姆妈，可香呢。

她微笑着点点头，说：好吃你就慢慢吃，吃快了吃不出味道了。

他埋头啃那鸡，显得仓促。

她欢喜地注视着儿子，说：又没人抢，你慢慢吃，你这吃相难看。

他咽下一口，又有模有样地喝一口可乐说：姆妈，肯德基是美国运来的吗？

她笑了，说：那是用中国的鸡制作的呢。

他放慢了速度，却已经剩根细骨了。他仰脖喝进可乐，说：姆妈，真的很好吃呢。

她说：再好吃还不是鸡？好了，这下算是如愿了吧。

他站起，精神抖擞的样子，说：味道真的很好呢。

翌日，他临上学校，说：姆妈，早餐钱你还没有给我呢。

她刚醒来，说：我这儿没零钱，你先垫着吧。

他说：我口袋里的钱不够吃早餐。

她说：昨天你不是装进店里那桌上的钱了，要么，先垫着。

他说：那钱我要交给老师呢。

她打开皮夹，抽了张 10 元面额的纸币，说：晚上再结算。

傍晚，她一进门，看见正在做作业的儿子，首先想到那笔钱，似乎那 18 元钱关系着儿子今后的成长、发展。她期望儿子单纯、美好——儿子面前，她仍是一个正面的形象，恐怕今生今世儿子料不到她曾打过那笔钱的歪主意。她说：18 元钱你上缴了吗？

他放下笔，迎上来，说：姆妈，上课前，我已经交给赵老师了。

她说：老师说啥了？

他说：也没说啥，赵老师要上课呢。

她说：唔，捡了东西是该上缴。

再一天，上班，她接到一个电话，是赵老师的电话。赵老师请她赶快到学校来一趟。

她说：出了什么事了？

赵老师说：肯德基快餐店老板赶到学校说要见见你们母子俩。

老板是一个操着外地口音的中年人，没有店门口的永远站立着的“山德士上校”那么有风度，却也显得精明。他说，那 18 元钱是他特意摆在桌上的，他决定谁拾金不昧，他就奖励 188 元。他料不到校方转告了他，他就在学校颁发这笔奖金：我奖励这种感人的精神。

儿子一个劲儿地瞅她。她觉得受了“山德士上校”作弄了一样，说：我不要这笔奖金，我不要，我和儿子只不过偶然去了店里，我只不过不想叫儿子失望，他父亲两个月前外出打工……好了，我现在还要去上班呢。

周围响起了热烈的掌声，都看着母子俩。她觉得浑身发热，抚摩着儿子的头，说：姆妈上班去了。

下班回家，儿子欢喜地迎上来说：姆妈，赵老师通知我，明天我当光荣升旗手。

她拍拍儿子的稚嫩的肩膀，说：姆妈替你高兴。

狂飙状态

○平　萍

秋风狂扫落叶，暴雨肆意纵横。天随人意，全市的“狂飙行动”也拉开了动员大会的序幕……警察要和吸、贩毒分子较劲了，当然还少不了新闻媒体的推波助澜。

肖是个机关女警，也一样被横扫到了派出所，任务是百天之内完成至少三个吸毒人员的归案。压力大吗？要说并不大，以往，一夜就可以完成这指标。但是，现如今就不行了。因为媒体登出动员大会内容后，凡是在册的吸毒人员立刻就鸟兽散了。又因吸毒属于治安案件，不得跨辖区办案，想完成任务，简直难于上青天。然而，如若完不成任务，丢人不说还会被撤职！

下基层了，原来配置的普桑汽车也不得再使用，肖就好像突然没有了腿脚，更没有了什么思维和智慧一样。派出所也嫌弃他们这些机关来的人，毕竟要占他们完成任务数的，所以对待肖便极为冷淡。头三天，肖还想：只要能帮所里多写些稿件在媒体上发表，月底百分考核加上很多分，所长也许会给自己分配上三个任务指标来的吧？毕竟，也是老交情了。可是，她很快就知道，那是白日做梦。因为压力太大了，人人自危，所所艰难，大难临头各自飞吧，谁还顾得上谁呢？

恍若茫茫的黄河水，平缓舒畅下，到处是潜在的急促的漩涡。无奈，肖只好“出卖”了一个女友。女友过去曾诉苦般地告之其亲戚吸毒的苦楚，并说出了她的姓名，凑巧肖竟然还一下子记起了那人的姓名，这才使得肖立即通过常住人口信息系统，查出了全市共有十八个叫此名字的女人……一番年龄、男女、文化层次等等的筛选，最后剩下三人可待查。于是，肖就开始便衣挤公车、觅地址、蹲点守。一个一个地排除，最后就剩这一个。据邻居说，此女子的确吸毒，前天还见着来着！呵呵，因了她不曾被强戒过，没有案底，所以肖有了机会。肖就一个人从晚上直守候至第二天凌晨，那女子刚将钥匙插进锁洞里，肖就冲下楼梯一举抓获了她。可是，一尿检，却呈阴性！肖沮丧极了，女友也很快来电，臭骂了她一顿，声称从此剪断友情……

可还得完成任务啊，然而……肖几乎跟所有的亲朋好友都联络过了，乞求提供线索……终于，好像感动了一个洗浴中心的老板，出人意料地给了她一个神秘电话："电厂的虎子……"吸毒名单肖手头倒是有一大堆呵，重要的是他们现在是否在家？有无确切详细的现居地住址？这帮人一般都是"狡兔三栖"，权当做是活马医吧。找出真名详址，也不妨硬着头皮再去守候。初冬的寒风，很快浸透了肖单薄的毛衣，早晨她穿了件多功能警服短大衣，可现在，为了不暴露身份，她只好脱掉了，任寒风侵袭冰凉的心吧……三天后，天渐漆黑，一个瘦高个子、走路摇摆的年轻人悄悄地拐进了那个门洞，侧耳细听，仿佛真的就是进的二楼那家门？"砰"的一声巨响，合门的声音并没使肖寥落反而让她心头狂喜，惊跳不已……万一他狗急跳墙，从二楼窗口逃走，怎么办？请求援助……俩警察赶到后，一个堵在前窗，一人守在后院，第三人敲门擒拿……哈哈，天助肖也，竟然真是个呈阳性的吸毒分子！整整七十个小时的寒冬里的把守啊……那家伙在被送往戒毒所的途中，高呼："我是刚刚被你们从强戒所放出来的呀。"肖仿佛一下子就感受到了在严冬里被强行推进冰窟窿里的滋味了。

半夜，肖感觉自己开始发热，或许真的是冻感冒了？独身一人的她，怎能再惊动十五岁儿子的酣睡？好在冰箱里尚有一盒夏天吃剩的冰淇淋，权当降温药物吧？窗外似乎飘起了雪花，肖一勺一勺将冰碴般的冰淇淋送进了嗓子眼处，真是冰冷、滋润、滑爽啊，肖不禁微笑了。

宅电突然巨响，局办公室通知：“肖导，局党委命令你，立即赶往林镇派出所！”警察嘛，永远就是以服从命令为天职的职业。于是，在这个漫天雪花的深夜里，肖带着滚烫的身躯，半小时之内，打着的士，赶到了那个乡村派出所，就任了教导员兼刑警中队长职务。直至半年后，狂飙行动结束前，她未曾再回过家……儿子只好吃饭店、独自睡、孤寂读书。

肖心急如焚。警察的职责、宗旨是什么？为民服务，倾心奉献——难道全都不存在了吗？但她首先不能工作落后，于是她亲自出马：四下魏城，三进驿城，居然带回来了十个呈阳性的吸毒分子。十个啊……每当她威严地用试剂验过疑犯的尿而呈阳性，便在马路边的黑树影里，给提供线索的耳目或者跟踪擒获吸毒分子的外地民警数钱的时候，那种一手交人一手交钱的景象，不知道为何使她总会想起鲁迅笔下的华老栓交钱买人血馒头的景况——她的心灵深处浸透了悲哀和苍凉！那来自心脏的疼痛感觉，就像正在绽放的花骨朵，倾听得到那种剧烈的“劈哩、啪啦”花儿碎了般的声响……

不料，肖还是晚了一步。市局强令：凡外地觅得的人犯！一律不准“强戒”！前功尽弃了不说，肖还“赔”进去了一万元……这钱，是她积攒着给儿子上大学的教育费啊。本来所长说：只要强戒成的，一人奖励一千元。现在——肖眼睛里现出一股迷茫的干枯色彩，眼皮下净是些黑糊糊……局长却还在中层干部大会上骂：“又蠢又笨，你们都会干点啥？”

苍茫一刻，肖仿佛被狂风暴雨彻底地席卷升空，她的笑声也越来越尖，好像还模模糊糊的瞟见：几个刚走进派出所大门的检察院工作人员……为何都怪异地仰望着灰蒙蒙的天空……是要执行什么抓捕任务吗……警察违法犯法也必得追究——啊啊，所有这一切星辰之外的梦魇，蓦然让肖醒来！

老鸣的幸福生活

〇庄　学

老鸣七点五十分准时晃出了家门，全然不顾老婆的唠叨，八时准点到达社区办公室。虽然老鸣不是社区的正式工作人员，但社区还是给老鸣一张办公桌。老鸣退休已经一年多了。

刚退休的老鸣才五十五岁，接到单位退休的通知脑袋嗡地一下成为宇宙——到处都是深邃幽蓝的一片，思绪没了搁置的地方，就那样踉跄地回到了家，倒头便睡。老伴平时可以随意吼老鸣，如今看到老鸣这个样子，倒是学会了温声软语：人人都得过这一关哩，你在单位只是工会小组长而已，值得这样失落吗？再说了，工资一分不少你，乐得自在，高兴了还可以出去挣点外快。麦子不让割了，咱还可以割草呀！如是者三，老鸣终于起来了。嗯，那就割草吧。

社区里的公家人都是街坊老相识，也不把老鸣当外人，说做个自愿者吧，帮着社区做点工作。老鸣寡瘦，本是布满皱纹的脸又多了几道笑纹。老鸣早就打好了自己的小九九，这第一件事就先办社区小报，自费的。社区小报从采写编辑排版，直至印刷发送张贴，都是老鸣一个人操劳。人们到社区办事，总能见到老鸣从桌子后面站起来，透过鼻梁上斜架的花镜上方抬起眼睛看着对方，热情地叫着“张师傅”、“李嫂”，甚至伸出手抓住对方的手摇个不停，要对方提供新闻线索。不久，这小报便引起了区政府的注意，还特地让人来采访过，在日报上发了老鸣笑纹满面的大照片哩。

接下来，老鸣又自费在社区的一间闲置房里办起了“小饭桌”。社区里孩子们的午饭常常令忙碌的年轻父母们挠头，这下好了，交几个钱却省了大事了。每到中午，老鸣就把这些孩子集中起来，吃完饭还给说道说道我们那个时候如何如何。有孩子就问“那个时候”是啥时候？颇有些拗口。老鸣就说那个时候是自然灾害时候。自然灾害时候是什么时候？那就是吃不饱饭的时候。爷爷，吃不饱饭就不知道吃肯德基薯条么？还可以吃水果呀……老鸣知道给这些孩子们扯不清“那个时候”，就干脆叫孩子们把自己的图书拿来，相互交换着看。看着看着就到了上课时间，孩子们像小鸟似的飞走了。老鸣想起孩子们叫他爷爷，不由得摸摸自己乌白相间的头发，长吁了口气。

常有居民来诉说黑网吧昧心挣孩子们的钱，于是老鸣没事就到社区里的网吧闲转。老鸣来闲转的时候啥话也不说，只是左看看右瞅瞅，有时还戴上花镜歪着头专注地盯着显示器大屏幕上的内容，把那些老板们转得心里发毛。齐老板说：您老不是社区里的老鸣领导吗？有啥指示咱听着哩。您老这样转着把咱心里转得直发毛，该不是来收集啥证据的吧。老鸣就指着墙上的《网吧管理规定》说，呵呵，我是来学习的。哥们儿，抽支烟，您老到那边学习吧。老鸣朝那边看看，几个妇女坐路边在扯闲话。便正色道：你这规定不是假的吧？今儿个哥们儿就在这里学习定了。几次三番下来，齐老板不得不收敛了许多，不敢再让孩子们随便进出网吧和通宵上网。日报获知这一新闻线索，又是一番专题讨论，导致政府有关管理部门下了大力气将网吧集中整治了，使得多少孩子家长对老鸣交口称赞。

又是一年暑期，社区举办救助贫困大学新生的活动，老鸣负责整理各个街坊报送的名单。整着整着，老鸣就看到一女孩的家庭住址竟然是自己单位家属院的，就使劲想这个女孩的家庭情况，没有想全，只是依稀记得她的父亲是因公而亡。回到家，老鸣的老婆帮他想起了这女孩的家庭窘况，为多病的母亲和自己的学习费用，一个大姑娘上街捡过废品呀！白天不好意思去，晚上下了自习就去垃圾桶边转悠。老鸣汗颜，这不也是灯下黑么！便与老婆商量了，这女孩上大学的费用自己一包到底。

老鸣悄悄把贫困大学新生名单上那女孩的名字拉掉，也没有声张自己救助女孩的事，心里欣慰地想：这是我退休满三年要办的十件事之五。麦子不让割了，还不让割草么?！呵呵！

流浪猫公社

○秦　俑

家里的猫一只一只地越来越多，我与苏苏的感情一天一天地越来越淡。

这些猫都是苏苏从街上捡回来的，她给每只猫都取了好听的名字。纯白的那只是苏苏的最爱，刚从街上捡回来时脏兮兮的，没想到洗过后吹干，毛色居然是很显贵族气质的白，苏苏便叫它王子。

王子是我家的第一位猫族成员。那一天阳光很好，轻风袅袅，我陪苏苏去逛街。苏苏在弯腰系鞋带的时候看到了王子。我清楚地记得王子当时的模样，它也许饿了几天，身体不停地发抖，双眼无助地盯着苏苏。苏苏抬头看着我，说，好可怜，一定是在街上走丢了，我们带回去吧？我将猫提起来，上上下下检查一遍，算是默许了。

可我没有想到，接下来的几个月里，玫瑰、卡卡、月亮、小狐狸……陆陆续续有十多只猫被苏苏带回了家。我劝过苏苏，苏苏说，看这些猫多可怜，你就忍心看着一只毫无依靠的猫在街上流浪吗？她每次都这样说，我只好无语。

这样的日子并没有持续多久，有一天我终于忍无可忍，冲着苏苏咆哮起来。苏苏开始反驳了几句，到最后不说话了，只是不停地流泪。我说，你要么放弃这些猫，要么放弃我，你自己选择吧！苏苏看着我说，你是嫌弃我了吧？你以前不是说过，无论我做什么，你都会支持我，对吗？我扭过头去，我不敢看她的脸。等我再扭回头时，她已经背着包走在了楼下的林荫小道上。那群猫跟在她的身后欢快地跑着跳着，有时还互相撕咬亲热。我站在露天的阳台上看着她的背影渐行渐远，当快要走出小区大门时，她犹豫着返身回头，看了看我们曾经一起住过两年的楼房。那一瞬间我的心口突然剧烈地疼起来……

终于体会到了什么是失恋的滋味，半年了，那些猫还不停地在我的梦中折磨着我。一想到苏苏，我的心还是会碎得一塌糊涂。好朋友们一个一个地跑来安慰我，小舞也来了，带着她新养的蓝色苏格兰折耳猫。小舞说，一个人寂寞吧，叫我家皮皮来陪你。我说不用了，我不喜欢猫啊狗的。小舞坏坏地笑着说，我要去外地两个月，这样皮皮就没人照顾……我哭笑不得，我说，原来小舞你是这样子对我好的。

就这样，在苏苏领着那群流浪猫离开后，一只叫皮皮的苏格兰折耳猫又开始闯入了我的生活。刚开始的时候，我挺烦它的，要按时喂食喂水，还要给它打点一个休息和排泄的地方。有时我正在写作，它会跑到我面前蹭我，一蹭一蹭把我灵感蹭没了。甚至有一次，在我熟睡之后，它竟然没有经过我的允许擅自钻进了我的被窝。为此我动手打了它，它居然像个做错事情的孩子一样，不躲不闪，眼眶里似乎还闪着委屈的泪花。就是在那一刻，我突然发觉自己已经喜欢上了这只叫皮皮的苏格兰折耳猫。我喜欢它在我下班回家时亲昵地咬着我的裤管欢迎我，喜欢它在有太阳的周末跟在我的屁股后面到处闲逛，也喜欢絮絮叨叨地跟它说一些我想说而它又听不懂的话。

小舞回来那天，我陪她去逛街。她买了皮皮喜欢吃的食物，还买了她最喜欢的爱尔兰乡村音乐 CD 和几大包衣服。我和皮皮跟在她后面满大街地晃，实在走不动了，我们准备回家，可是皮皮不见了，我和小舞回头去找，找了很多地方也没找着。小舞很丧气地说，一回家就丢东西，这只猫值好几千呢。我说，几千块钱是小事，可皮皮真的是一只很好的猫。接下来几天，我又拖着小舞陪我一块儿上街去找，皮皮就像突然蒸发在空气中了一样。我也泄气了，而且我发现我的心口又开始疼起来，与苏苏那天带着她的猫群离开时一模一样。

大约过了一周，小舞突然打电话给我说皮皮找到了。我问在哪儿找到的。小舞说你上网吧，上网我跟你说。在网上，小舞给了我一个网址，打开来，是一个叫做“流浪猫公社”的主页，一群业余收养流浪猫的人建立起来的，上面提供了很多猫的照片，是供丢失宠物猫的主人们来认领的，其中有一张跟皮皮很相似。

我在网页上找到了联系电话。电话打过去很久没人接，接着打，终于有人接了，但对方不做声。我说，我的朋友丢失了一只苏格兰折耳猫，与你们放在网上的照片一模一样，我们要通过什么样的手续来认领呢？对方还是不做声。我说，不要紧的，你说个价吧，我们会如数支付费用的。对方终于开口了，你来海豚路 21 号吧。说完就挂了电话。

我的心口又莫名其妙地疼起来。我恍惚觉得对方的声音有些熟悉，但未及细想，我们赶紧开着车去了指定的地方。没想到开门的女孩竟然是苏苏。她明显瘦了，但我还是一眼就认出了她。

小舞在一堆猫中找到了她的皮皮。

我与苏苏久久地相对无语。我望着一屋子的猫，像是自言自语地说，看这些猫多可怜，谁忍心这些毫无依靠的猫在街上流浪呢？苏苏的脸色还是很难看。我抱住苏苏，附在她耳边说，苏苏，小舞只是我一个好朋友，你跟我回家吧。苏苏哭了，从家里离开那天我没有见到她流泪，可是这一天，我看到她像个孩子一样毫无顾忌地哭出声来。

那天苏苏跟在我的身后回了家。我们的身后是一群欢快地跳着跑着的流浪猫。那一天距离苏苏遇到王子刚好是一年。那一天阳光很好，轻风袅袅。

卖菜的女大学生

〇胡双连

因为待岗在家，所以承包了家务，每天的一项重要任务就是到菜市场转转。

一天，我早早就进入菜市场，因为早上可以买到新鲜的菜，品种也多。到了市场，我才发现自己常去的那个摊位上，卖青菜的中年妇女不在。她的摊位站着一个女孩，看上去20岁左右，穿着很简朴却很得体，衣服的大小确实可以说是度身定做，显得简洁、干净、利索。她不是很漂亮的那一类，而气质却显得卓尔不群，与其他那些卖菜的女孩完全不一样。

我在考虑今天该买什么菜，怎么搭配。这是个烦心的事，我站在那里犹豫。这时走来一对外国男女，他们在女孩旁边停下了，用英语跟旁边的摊主说话。摊主是位卖青蛙的老头儿。青蛙又大又肥，被老头儿用一个大网袋装着，活蹦乱跳。

老头儿尽管听不懂英语，却兴奋地叫着："18 元一斤！"然后右手拿着一张 10 元、一张 5 元、一张 2 元和一张 1 元的票子，叠放着让每张票子都露出阿拉伯数字，在"老外"面前扬着，左手伸出食指。他们经常这样交易，而且很容易被"老外"理解。"老外"摇摇头，又用英语说了一大通。老头儿以为嫌贵，赶紧说："15 元一斤，怎么样？"右手只举着一张 10 元和一张 5 元的票子，"老外"还是满脸无奈地摇摇头。

"这可是货真价实的青蛙，一般人根本捉不到，15 元还嫌贵，哪里捡得到啊！”老头儿觉得这两个“老外”不懂行情，还挺抠门儿，显得有些不高兴。“老人家，他们说愿意全部买下，但你要把它们放回田里去。”女孩忍不住说话了。这女孩竟懂英语！

“放回田里，他们给钱？”老头儿惊奇得不敢相信。

“是的，他们说，抓青蛙是破坏生态，这些有益的动物和我们一起生活在地球上，就像你和你家里的人生活在一起一样，应该爱护它们。”女孩尽可能用浅显的语言解释“老外”说的话。

“什么？我们和青蛙就像和家里人一样，那不是发癫了？”老头儿更觉得云里雾里。

“这样吧，小姑娘，麻烦你告诉他们，我卖给他们，只要他们给钱，我马上把这些青蛙放回田里。”老头儿不管理解不理解，也许在想，不就是为了卖钱吗，这样的生意怎么不做？女孩把老头儿的话照直翻译过去。我发觉这女孩的发音很标准，说得也很流畅。男“老外”掏出100元人民币递给老头儿，对女孩说，请你告诉他，让他把这青蛙放回田里去。

“我这里是6斤，钱也不用找了。”老头儿自言自语地说，拿着钱，背起那袋青蛙就往出口处走了。

“Hello，买我的鸟。”一个头发染成黄色的男青年用鸟笼装着一只羽毛五颜六色的鸟，一只手把鸟笼举得高高的，急匆匆地朝这边走来。

“老外”满脸无奈地摇着头。

“小姐，帮我一把，跟他们说，只要他们给我钱，我马上就可以把鸟放飞。”这个“黄毛”急切地求女孩。

“女士、先生，你们去买菜吧，我会试着说服他。”女孩用英语告诉“老外”，“老外”满脸狐疑地走了。

“嗨，他们说，他们不会买你的鸟，这是一只很珍贵的鸟，你应该把它放回大自然！”女孩冲着“黄毛”说。

“唉，不走运！”“黄毛”懊恼地提着鸟笼要走，看他的神情，他是绝对不会放飞这只鸟的。

“等一下，你这只鸟多少钱？”女孩说。女孩的这一举动让我猜不透：她要买这只鸟？买来观赏还是……

“你买，便宜给啦，20元吧！”“黄毛”好像要送一个天大的人情给她似的。“好吧！”女孩拿出一个小包，从里面拿出那些叠得很整齐的一毛、两毛的毛票和一些一元、两元的票子，很利索地数给“黄毛”。

“啪”，一样东西掉在地上，好像是一张卡片，我仔细看了看，是一张大学学生证，上面还有女孩的照片。

女孩从鸟笼中小心地捧出鸟，很爱惜地用手抚摸着鸟的羽毛。

“谢谢啦！”“黄毛”接过钱，喜滋滋地走了。

女孩让鸟站在自己的手上，也许是鸟还没有反应过来，竟然没飞，直到女孩把手往上一扬，鸟才扑棱着翅膀，头也不回地向着天空飞去。

回家的路上，我心里好像打翻了五味瓶，有一种说不出的滋味……

中午，一位客人临时到来，家里的菜不够，只好又往菜市场跑一趟。我赫然发现那老头儿还在那里卖青蛙，似乎青蛙也是原来的那些，我很震惊，感觉到一种极度的悲哀。旁边的女孩却不见了，或许是卖完菜回家了。

“你那些青蛙不是放回田里了吗，怎么还在卖？”我实在憋得难受，忍不住问道。

“放回田里？谁有那么傻！‘老外’有钱，我不过是骗骗他们！”老头儿好像觉得我少见多怪。

我无话可说！

我真的无话可说！我只是在默默祈祷，这事不要让那女孩知道，永远！

陌生的女孩

◎蒋　寒

星期天，动物园。

豆豆蹦跳着，忽儿要看非洲豹，忽儿要看北极熊，忽儿要看孔雀……可不，她早已对这动物园轻车熟路了，天上飞的地上爬的水里游的，能脱口叫出一大串“动物”的名字呢。目睹活泼的女儿，妈妈心里既甜蜜，又歉疚。

妈妈是军营里的一位白衣天使，肩负的双重使命决定了其家庭角色——匆匆过客。豆豆出生后，多亏了退休在家的奶奶。豆豆唤出的第一句甜润的爸爸妈妈，也多亏了奶奶的启蒙教育。豆豆三岁了，上幼儿园了，结识大自然好多好多的“小伙伴”，也是星期天跟奶奶上动物园的收获。动物园离家仅几站地，尽管如此，但妈妈也从没有领她去过。

一次，妈妈哄着哭鼻子的豆豆说，乖，妈妈星期天带你出去玩啊。谁料豆豆撅起了小嘴，妈妈骗人，妈妈没有星期天。妈妈哑然。豆豆说，奶奶说妈妈上班班，就是救死扶伤。妈妈，什么叫救死扶伤？妈妈忙抱起豆豆，亲着吻着，幸福的泪水顺睫毛轻轻滑落。是的，妈妈没有星期天。先是因为科室里太忙，妈妈是业务骨干，大事小事离不了她；后来是医院实行末位淘汰制，一下进来不少高才生，妈妈不敢懈怠，就报读了高护函授……

这不，妈妈第一次考试刚过，总算可放松一下了，就带女儿出来欢度星期天了。瞧，她俩置身在这“动物”的世界里，沐浴着春天的阳光和欢笑，宛若两位快乐的天使。

当母女俩挤进猴馆，一下子就被里面的气氛感染了。原来，猴子们正即兴表演着荡秋千、倒挂金钩呢！引起不少游客频频拍照。妈妈您看！顺着豆豆的手指望去，只见一只猴妈妈抱着猴宝宝，正玩单臂吊环呢。妈妈趁机将豆豆抱过去，揿动快门，咔嚓闪了一张。妈妈问，宝宝，是不是世上只有妈妈好？豆豆回答，对！妈妈，我们去看大猩猩吧，大猩猩真可怜。妈妈边走边问，大猩猩咋可怜？豆豆说，上次我跟奶奶去看大猩猩，见它一个人关在铁栏里，好多好多人朝它吐痰，还扔香蕉皮，大猩猩可生气了，摇着铁栏，张着大嘴巴想咬人，真可怜！妈妈，大猩猩的爸爸妈妈呢？

妈妈双腿仿佛一下灌了铅，她顺势坐在路边的石椅上，说，哎呀累死我了，咱们歇会儿再去看大猩猩吧。行！豆豆投进妈妈的怀抱，哼起世上只有妈妈好……妈妈惬意地拿出苹果，削着，削着，便睨见旁边的椅子上坐着一位表情怪异的女孩。

女孩约莫十一二岁，身子斜靠着椅子，叼着烟，吸着，呛咳着，在那漠然而起的袅袅烟雾中，却是落泪无声……

出于天使的本能，妈妈的内心便为之莫名地颤动。她将削好的苹果用餐巾纸包好，递给豆豆，示意道，呶，去给姐姐。豆豆接过苹果，朝女孩眨眨眼睛，就大胆地跑了过去。

豆豆将苹果高高托在陌生女孩的眼前，小心翼翼地说，姐姐，吃苹果。

女孩依旧旁若无人，吸着烟，呛咳着。姐姐。豆豆拽了拽女孩的裤腿。女孩这才惊异于跟前的小妹妹和她手中的苹果。一双童贞的黑眸子忽闪忽闪，姐姐，吃苹果。

女孩双眼一怔，随即是一串感激的泪水簌簌淌过面颊。或许她想对面前热心的小妹妹挤出一丝微笑，谁知表情却百般扭曲。

姐姐别哭。豆豆怯怯地注视着她。

女孩灭了烟蒂，感激地抱起豆豆，哽咽道，好妹妹，你叫啥名字？

豆豆回答，我叫豆豆，那是我的妈妈。豆豆指了指身旁的妈妈。

女孩转过泪眼，目光一下子触及了笑盈盈的豆豆妈。这瞬间，女孩的泪水才哗地夺眶而出，她对豆豆说，好妹妹，姐姐好羡慕你，有一位好妈妈！有一位好妈妈——女孩放下豆豆，抽泣着，匆匆跑走了……

妈妈，姐姐怎么啦？豆豆问。

妈妈抱紧豆豆，没有回答。

当母女俩走进猩猩馆，目睹铁栏里早已空空荡荡，哪见猩猩的影子……

妈妈，大猩猩呢？豆豆又问。

妈妈仍然没有回答，只抱紧豆豆。

豆豆说，大猩猩是不是像姐姐一样跑啦？是不是找它妈妈去啦？

妈妈不敢正视女儿天真的明眸。

回家的车上，妈妈只是紧紧地抱着熟睡的豆豆，紧紧地。

皮带扣

〇丁新生

一辆黑色奥迪车在公路上风驰电掣般飞奔。车内的高市长紧皱眉头，焦急万分。尽管空调散发出飕飕冷气，可他脸上的汗水不时冒出来。平时稳重老练的市长，此时一反常态，不时催促着司机赶路。司机熟练地握着方向盘，拼命地按着喇叭，车像箭一般向前射去。

正在开会的高市长，接到消防支队值班室电话，说平原县液化石油气公司发生严重泄漏事故。公安局王局长、支队马政委已赶赴现场。高市长忙问夏风支队长呢？值班参谋说，他趁今天周末回平原县看有病的父亲去了。

高市长一上车就不停地给夏风拨手机，手机里不时传来小姐那“不在服务区”的甜甜声音，他气得把手机扔在车座上。此时，他有点生气。平时他特别看重这个年轻的军人，前天夏风过生日，他还送夏风一条皮带。

这时，手机响了，市长忙拿起了手机，原来是夏风。他报告说，接到报警后，调集了五个中队的官兵赶赴现场，周围一公里以内的人员已全部疏散。经侦察发现，有一个50立方的贮气罐严重泄漏。他已拿出了堵漏方案，要亲自带特勤队的一名战士去完成堵漏任务。高市长嘱咐他要注意安全。

放下手机后，高市长吊起的心并未放下来。车行了一公里，忽然，两声巨雷般的爆炸声相继传来，高市长的心猛地一紧，预料的事情发生了。

此时，他有点恼火，夏风是怎么搞的！

平原县距市里十多公里，高市长平时下基层检查工作，十多分钟就到了，可今天他感到这段路那么远，那么长，那么难走。

距出事地点两公里的地方，交警已实施了车辆管制，车队像条长龙卧在路上等待放行。

奥迪车闯过警戒线，往前走了不远，被执勤的消防兵拦住，高市长下了车。战士向他报告，两个贮罐爆炸，引起的大火已扑灭。前面路难走，请市长步行。

高市长迈开大步向现场走去。前面不远处一个两米长的罐体残片躺在路中央。他的心收得更紧了。

烈日下，王局长、支队马政委和县政府的有关领导静静站着。大地好像窒息一般，听不到蝉鸣，看不见公司的漂亮大门、围墙。300 米外，一堆堆瓦砾。昔日的排排大桐树，变成不到一米的黑木桩，站在那里呜咽。

高市长走过来。他看到人们的眼里闪着晶莹的泪花。人群前面被烧焦的土地上一片油痕，上面一具尸骨，好似涂上了一层墨。

高市长发火了，夏风呢？

马政委的泪水扑嗒扑嗒往下落。他说，夏风听说这里出了事，忙从家赶来，他带领一位战士堵漏……

高市长心里猛一震，什么也没说，朝前走去。距爆炸中心 200 米左右，他看到过去的两个贮罐已不见踪影，周围数百米内茂盛的玉米被大火抹掉，平坦坦的田野上没有一棵草。水泥路面被烧裂，龟背似的。

忽然，王局长看到眼前一片黑色的油痕。他不由蹲下来，用鹰一般的眼搜索着。这个油痕十分奇怪，好似一个蜷曲的人体。油痕上有一个变了形的小铁圈。他捡起来，仔细瞧瞧，是个皮带扣。他想，难道是夏风牺牲的地方？但他摇了摇头，因为这不是军用皮带扣。

高市长把皮带扣接过来，看着看着，泪水像珍珠般挂在那痛苦的脸庞。他说，夏风过30岁生日，我送给他一条皮带，是这样的扣。

人们已憋了很久的痛苦突然爆发了！人们哭着，喊着，扑向地上那黑色的油痕……

秋天有约

〇沈　宏

杜秋丰走进天湖市的时候，正是一个秋日的午后，阳光很好。城市的建筑，城市的花园，城市的街道，还有城市的人都涂满了一层金黄色的光泽。杜秋丰心里猛地有种震颤，这种震颤是因这个城市中的那种特有的成熟的光泽所引起的。持续了片刻，杜秋丰才慢慢平静下来，慢慢适应，并有了一种无限温馨的感觉。

作为外乡人，杜秋丰是第一次走进天湖市；而作为时装设计师，杜秋丰已无数次走进天湖市，因为他设计的许多时装已在这个城市流行好几年了。这次他是应天湖市广播电台著名主持人爱妮之邀，来作时装设计讲座的。在此之前，杜秋丰已跟主持人爱妮通过电话，爱妮在电话里向他介绍了天湖市年青人是如何喜欢他设计的时装的。尤其是他设计的一些女装，深受天湖市年轻女性的青睐。

杜秋丰记得那天爱妮打电话给他时，他正在自己的工作室苦思冥想。由于这个时期没有新作品问世，他一直感到苦闷。爱妮的突然邀请，使他感到惊喜。他欣然答应，一方面出去散散心，到一个陌生的城市兴许会找到创作灵感；另一方面，他能见到曾被他想象和设计过无数次的爱妮小姐的光彩夺目的形象。

一个星期前，爱妮跟杜秋丰在电话里约好说，她会来车站接他的，可杜秋丰等了好长时间，爱妮却一直没有出现。

杜秋丰是在一年前的一个午夜里偶尔听收音机才听到爱妮的声音的。当时杜秋丰特别心烦，是为时装设计还是为漫漫长夜的孤独？反正当时失眠了，他就打开了那架好久没动过的收音机。收音机里播放了一段音乐后，就出现了爱妮的声音。当时爱妮正在主持《心海夜航》的节目，爱妮的声音特别温柔，也特别好听，一下子吸引了杜秋丰。杜秋丰就一直听下去。此后几乎每个午夜，他都要收听爱妮的节目。与其说是收听节目，还不如说是想听听爱妮的声音，这种如美妙音乐一般的声音，给了杜秋丰无限的想象空间

有好几次杜秋丰还给爱妮打电话。在电话里，杜秋丰觉得跟爱妮很谈得来。开始，杜秋丰是向爱妮倾诉自己在设计创作上的苦闷，爱妮在这方面给了他不少启示。当谈到美学方面，他觉得爱妮有很多见解，比如说凡·高的色调、毕加索的抽象等在时装设计上的运用，后来又谈到生活、恋爱、婚姻、家庭等等，真是无话不谈。渐渐地，爱妮在杜秋丰的心里占据了很重要的位置。作为一个四十岁的单身男人，杜秋丰很需要有像爱妮这样的知音，尤其是电话里爱妮发出的那种柔柔的声音常常使杜秋丰感到非常温馨。于是在一个夏日的午夜，杜秋丰给爱妮写了一封信，信上杜秋丰讲了自己单身的情况，并问爱妮能否为他介绍一个对象。至于条件，杜秋丰说得很干脆——像爱妮那样。当时杜秋丰还从未见过爱妮，可他已在心里无数次描绘过爱妮的形象。并根据描绘的爱妮形象，他还设计了许多“爱妮型”时装，这次他也带来了，他希望这些“爱妮型”时装能在 T 型舞台上创造出一个空前绝后的时装时代。

杜秋丰在车站广场徘徊。已近黄昏，这是秋天的黄昏，空气中弥漫着紫薇花的馨香。爱妮怎么还没有来？忽然——慢着，前面前面……这时一位戴墨镜的中年男子推着一辆轮椅慢慢朝杜秋丰走来。轮椅上坐着一位非常秀美的女子，气质高雅。顷刻，杜秋丰被深深吸引住了，一种直觉告诉他，轮椅上的女子就是爱妮。

“你是时装设计师杜秋丰吧。”轮椅上的女子问，那声音依然很温柔。

“你是著名主持人爱妮？”

“我是爱妮，你好！”

“你好！我是杜秋丰。”

“没想到吧，我会坐着轮椅来接你。”

“是有点突然，你……”

“我是残疾人。推车的是我的丈夫，他看不见，是盲人。”

中年男子点点头，说：“我们夫妻欢迎你！”顿时，一种复杂的情感在杜秋丰心里涌动，他说：“我不好意思——居然要你们来接……多不方便……”

爱妮笑着说：“怎么会呢？我是他的眼睛，他是我的腿，我们常常是这样迎接贵宾的。”

天边的晚霞把爱妮夫妇染得殷红殷红的。杜秋丰感动得眼眶都湿润了。这一晚，杜秋丰的时装讲座很成功，因为他找到了一种人间最美的色彩。不久，“爱妮型”时装在天湖市流行开来，又很快风靡全国。

让我轻轻握住你的手

〇沈　宏

女儿17岁，刚上高二。开学后不久，有同事告诉我，说他常看见我女儿跟一个品行不端的女孩在一块儿。得知这情况，我跟内人都非常担心。因为像女儿这种年龄正是人生的关键时期，弄不好很容易学坏。不过我还是不动声色地问女儿："听说你最近交了新朋友？"

"是啊。"女儿边做功课边回我，"她叫徐小玫，从六中转来的。我们挺谈得来。"

"听说她曾……"

女儿立即打断我，说："爸，我不明白，有人干吗老爱揪住人家的过去不放呢？"

内人正在做饭，听了女儿这话，忙从厨房里出来说："什么揪住不揪住的，你最好还是离她远点。"

女儿没吭声。谈话自然不欢而散。

过了一星期，我又得知女儿在班里换了座位，跟徐小玫一块儿坐了。楼层里的邻居知道女儿跟品行不端的人做伴，都鄙视我们。

一天，我去跟女儿的班主任宋老师联系，刚巧有位妇女也在。从她们的谈话中我得知那妇女就是徐小玫的母亲。徐小玫的母亲小心翼翼地说："宋老师，小玫这孩子表现怎么样？没给您添什么乱子吧？"

宋老师笑笑，说："没有。小玫是个可爱的孩子。"

听了这话，徐小玫的母亲显然是松了口气。她又说："我跟小玫的父亲都在特区工作，一年难得回来几趟，平时没法管她，全靠您费心了。"

"没什么。小玫很好，你放心吧！"宋老师说着把我介绍给她，"这是沈薇的父亲。沈薇是班里的优等生，也是小玫最要好的同学。"

"是吗？"小玫的母亲似乎很感动，"小玫这孩子一向孤独，很少有朋友的。"

碍于情面，我只好说："是的，我女儿跟小玫很投缘。"其实这并不是我真正的愿望。

小玫两次来我家找女儿，都被我找借口挡于门外。可女儿一有空就去找小玫，还带到家里来玩，弄得我跟内人挺尴尬的。

我所在的公司最近失窃，出事点正是我负责的部门。于是外面有传闻说很可能是里应外合，而几个人中我嫌疑最大。这时正好我有可能升职。我又急又气，肝病复发，住进了医院。女儿放学后来医院，手捧一束白玫瑰。白玫瑰鲜艳夺目，煞是可爱。女儿说："这是小玫送的。为买这花她几乎跑遍了整个城市。她还写了封信让我交给你。"

小玫的信是这样写的——

叔叔：

你好！听小薇说了你的事，我就上街去买了束白玫瑰送你！叔叔，让我轻轻握住你的手！祝你早日康复！

我曾有过"偷窃行为"，你早知了吧。然而现在我想告诉你你所不知的事。初中毕业前夕，班里有位女生少了十元钱，她硬说是我偷的。因为当时只有我接近过她。为此我遭到同学们的鄙夷。可毕业后有一天，她突然来对我说钱不是我偷的。因为她在整理书籍时无意中发现了那十元钱，这才想起是她自己曾夹在书里的。事情已过去好长时间，可现在还有许多人因不知真相而鄙

视我。小薇却没有！你也没有，因为你没有强迫小薇不跟我在一起。谢谢你！

小玫

我的眼圈潮湿了。闻闻白玫瑰，白玫瑰很清香。

上海正午

○申永霞

她叫苏小暖。她向来是一个听话的人。

小时候，大人要她听话，要她不撒谎，她就听话，不撒谎。大人让她不要随便吃别人家的东西，她连自家东西也不随便吃了。上学时老师让她们做学生的不要轻浮，不要谈恋爱——这点她做得特别好，小男生根本没有和她说话的机会，更别提要和她谈恋爱了一除了学习好以外，学校里的很多好事都有她一份。但凡有比赛，就一定要派她去，因为别人去，未必能拿第一名。她在小县城里也算一个小名人了，连教育局长都慈爱地和她握过手。这样的苏小暖，考上个大学有什么问题呢。

果然，她不仅考上了，而且还是个名牌大学，坐落在中国最繁华的城市，上海。

她上了大学，才发现周围的世界和她当初所想的有点不一样。因为，周围的女生都在谈恋爱。谈恋爱有谈恋爱的表现，没谈恋爱的有想谈恋爱的表现，好像只有她一个人是怪人。幸而，她很聪明，知道自己该怎么办。大学四年她不徘徊，不迷惘，她拿“第一”的习惯没有改变。当别的同学毕业的毕业、找工作的找工作、散伙的散伙的时候，她呢，她第一名考了研，第一名读了博。好了，现在，苏小暖不再是那个苏小暖了，苏小暖是博士苏小暖了。

现在，她住在博士楼里，她的同学是博士同学。她身上的味道都是博士的味道。博士该是什么味道呢？她不知道。只是，当她转身走进博士楼时，后面常常听到有人哧哧地笑，他们笑什么她不知道，他们心里怎么想，她也不想去研究，因为这不是她研究的“课题”。她研究的课题不是这个，而是“俄罗斯文学”。这个课题够高深的，足够她研究一辈子的了。

她的导师叫李云婷，是一个不太像“导师”的女人。还没有老，还没有胖。第一次，苏小暖走进她漂亮的家时，她看着苏小暖，微笑着对她说：苏小暖，谈谈恋爱吧。

她惊异地望着李云婷，不明白她这是什么意思。

现在她有点明白了。自从昨天接到了白棉花的电话后，她突然全明白了。

白棉花是她唯一的一个女朋友。因为她觉得白棉花和她一样地有思想。她不喜欢的白棉花恰巧也不喜欢。尽管白棉花长相漂亮，但她同她一样地鄙夷男生们。男生们并没得罪过她，甚至在上学的时候有不少男生还疯狂地追求白棉花。但白棉花一个也瞧不上。

白棉花说：男人，年轻些的不懂事，不会爱。年纪大些的，总是有些脏。

苏小暖不明白白棉花说这话确凿的所指。等她逐渐长大些，逐渐从书上、从别人嘴里说出的一些事，觉得白棉花说得有道理。她也逐渐地明白了“脏”的词义。

大二时，她们学校调来了一个教哲学的小德老师。小德老师可能是个英国人，或者美国人，身上毛茸茸的。他的身体长得很强壮，像所有外国男人一样爱穿牛仔裤。像所有外国男人穿牛仔裤一样总是把自己的下身弄得鼓鼓囊囊。一次中午在饭堂排队打饭时，她排在了小德老师的前面，尽管当时人比较多比较乱，但她仍然十分清晰地感觉到小德老师在她身后不停地拱动。他喘气的声音好像有些不一样，苏小暖回头看他，看到小德老师一张异样表情的脸，紧接着她就感觉到自己的身体被一件像秤砣一样的东西摩擦了两下。

苏小暖悲愤至极。她很想将自己打到的一碗热饭菜浇到小德老师的头皮上，但是，大二女生身上必备的矜持使她像风一样跑掉了。从此她就自以为聪明地领悟到了白棉花说的男人身上“脏”的含义。

昨天，她突然接到了白棉花给她的电话。白棉花大学毕业，现在在上海一家酒店。她已经一年没见过白棉花了。白棉花说：苏小暖，我要结婚了。说完，就呵呵地笑，好像有人挠她的胳肢窝一样。

挂掉电话之后，苏小暖去烫了头发，买了一件旗袍。晚上，她穿上旗袍，对着镜子看了一会儿自己。镜子里的女人和她想象中的自己完全是两个样子。她以为自己还是活泼的、年轻的，可没想到镜子里的女人却有些老气，整个人儿像是上了一层锈一样。这层锈遮住了她，使她看不到从前的自己。她记得从前的自己不是这个样子的。她的心像被人揪住了一样，狠狠地疼了一下。她赶紧离开镜子，想想自己的思想。她的思想一向是她的骄傲。她想她的思想一定没有像容貌一样背叛她。她坐了很长时间，发了很长时间的呆。她想啊想啊。无比的痛苦。因为，她哪里来的思想。如果从前那也算是思想。她的思想便是好好学习，考个第一。

可是，眼下，这个思想帮不了她像白棉花一样快乐。

婚礼上的白棉花真是愈发地美丽了。那一刻她就是人们所说的“女貌”，正幸福地依偎在“郎才”的身边，一副给天不换给地不换的样子。苏小暖穿着红旗袍，旗袍艳得像她才是新娘。只是，人们没有看她一眼，因为人们的眼都在看着新娘。

苏小暖坐在角落里，她的心本应该是高兴的。可是，她不高兴。她贪婪地盯着白棉花看着，好像她是下一个白棉花一样。可是，她什么时候才能成为白棉花呢。导师李云婷的话又在她耳边响起。她在这一刻不但不感谢她，心里反而一阵厌恶起来。她那么说，好像在嘲笑她，好像她谈不起恋爱一样。

可是，她们不知道。她也不是没有人爱的。当初杨沪京子对她是何等地一往情深。他长得是如此的清瘦。两眼望住她时是如此的深邃、痛苦，她知道，那都是她不答应他的缘故。

她现在还记得杨沪京子给她讲过的一个笑话。杨说：中国人说话，很有意思。比如两个骑自行车的人快要撞到了，互相大叫：不好啦！不好啦！

真正撞着时，又说：这下好啦！

她当时听了，不禁莞尔一笑。这是中国人的幽默，她不知道身为日本助教的杨沪京子是否完全地领会。

其实这场爱恋连杨沪京子自己也知道很难圆满。他终于郁郁地离开了中国。那天是苏小暖送他上了飞机。她完全不像对方那么伤感。她从没有把自己和一个男人联系在一起，况且是个日本男人。

可是此刻，在上海的正午，苏小暖穿着红红的旗袍，烫着卷发，看上去根本不像个上海的女博士，很像一个有些苍白的、神情郁郁的上海女郎。

天气有些热。她感觉不到自己的存在。她看不见自己的脸。

正午的阳光下，她甚至看不见自己的影子。她现在什么也顾不得看，什么也顾不得想。

她的左手里执拗地握了一把瓜子，那是她从白棉花的婚礼上抓来的一把黑瓜子。在富丽堂皇的喜糖下面，她觉得黑色的瓜子是她现在苍黄寂寞的人生。

她从小喜欢嗑瓜子。她嗑瓜子嗑得很圆满，仁是仁，皮是皮，她希望她的人生也是如此。

可是此刻，她低下头，松开手，看到手上全是她的汗，她的泪。

幸福倒计时

〇李世民

搅拌机像一个巨大的蜗牛呼呼啦啦地旋转着，民工三元认真而自然地扳动着离合器，把黏糊糊的混凝土倒在了伙伴的小车里。

三元已经彻底地喜欢上了这个巨大的蜗牛一样的搅拌机，尽管搅拌机的声音尖厉刺耳，尽管搅拌机还常常会把星星点点的灰浆喷溅到三元黑红色的脸膛上和敞开衣扣的肚皮上，三元还是觉得，搅拌机就像自家喂熟的蜗牛一样听话，让它吃料它就吃料，让它旋转它就旋转，让它停下它就停下。

每天上班的时候，三元总是比伙伴们早到一会儿，看看搅拌机的线路是不是有问题，给轴承和齿轮加些油什么的；每天下班的时候，三元总是晚走一会儿，冲刷一下搅拌机的里里外外，或者是紧一紧螺丝。三元认为，搅拌机就是自家喂养的牛，你只要好好伺候它，它就听你的使唤，卖力地干活。

搅拌机的左侧，有一根柳木柱子，说它是柱子，其实是不对的，春天工地开工的时候，大家安装搅拌机，随意栽上了一根柳木，现在已经是夏天了，柳木的梢头居然抽出了几根枝条，生出了翠绿的嫩芽来，应该算是一棵柳树了吧。柳木上挂着一块黑板，黑板上写着一行醒目的字：工程离竣工还有 120 天。

在黑板的最下端，还有一行用粉笔写上的小字：离三元结婚还有 30

天。这行小字，除了三元之外，工地上的其他人可能都不知道，因为他们根本不会在意也看不清楚。这是三元的秘密，也是三元无法掩饰的喜悦，看着这行字，三元常常会无端地发出嘿嘿的笑声，他觉得那个不断变化的数字，像一根根火柴，一次又一次地擦亮了自己的眼睛，映红了自己的脸膛，这样的时候，三元的心里也会像涨潮的海水一样，涌起了一波又一波的幸福。

三元的对象名叫柳琴，是过年的时候村里的媒人给介绍的。有时候，三元使劲地想柳琴的模样，却怎么也想不起来，其实，这也不是三元的错。三元和柳琴，总共才见了三次面，头一回，是三元和柳琴相亲，第一眼，三元就相中了柳琴，他觉得柳琴好看，越是好看，三元越是不敢多看，好看在哪里，三元也说不上来。第二回，三元去柳琴家送彩礼，带去了一台大彩电和一堆花花绿绿的衣服，记得当时柳琴说，这么多的衣服，啥时候才穿得完啊。三元直搓手，不知道说啥才好。第三回，三元来城里打工，柳琴送他去车站。那天是正月十六，天冷得厉害，柳琴的手冻得通红，有几回，三元都想拉住柳琴的手，这样一是给她暖暖手，二就是能拉住她的手。三元只是这样想，却没有拉住柳琴的手，现在三元想起来多后悔呀，他真的想不出拉住柳琴的手是什么样的滋味，他想等结婚了以后，天天都要拉住柳琴的手……

工地的对面，有一个超市，休息的时候，三元常到里面看看，三元在去超市的时候，看中了一条毛巾被，那是一条粉红色暗花的毛巾被，上面有鸳鸯戏水的图案。三元不止一次地看了那条毛巾被，他想柳琴会喜欢这条毛巾被吗？他想柳琴一定会喜欢的，想着想着三元的脸就红了。三元还想，城里的东西就是好，城里的东西也很贵，一条毛巾被二百多块钱，顶两只山羊呢，顶好几袋玉米呢。但是，三元还是拿定了主意，等到回家结婚的那一天，一定要带回这条毛巾被。

工地上，每天都要用一袋又一袋的水泥，这些水泥，是三元一袋又一袋地从仓库搬到搅拌机前的，用过了水泥，三元就把一条又一条的水泥袋收藏起来，隔上三五天，就有收废品的小贩上门收一次，三元算计着，到了临走的时候，卖水泥袋的钱差不多也要买一条毛巾被了吧。

黑板下方的数字在三元的期盼中一天比一天变小了，三元结婚的日子也来临了。

那天，三元怀揣着水泥袋换来的二百块钱，一阵风催着一阵雨地朝对面的超市赶去，就要推开超市的玻璃门时，三元禁不住回头望了一眼，三元看见，搅拌机还像蜗牛一样地旋转着，伙伴们还像过年一样装着石子推着沙子；三元听见，搅拌机还呼呼啦啦地响着，伙伴们还嘿嘿呀呀地喊着号子……

从超市走出来的时候，三元左手拎着一只烧鸡两只板鸭三条炸鱼，右手拎着四瓶高粱酒。其实，三元是在看到超市门前那个巨大的酒瓶才改变主意的，三元像个做错了事情的孩子一样涨红了脸，他想，为什么这个时候不请伙伴们喝一次酒呀?!

那天晚上，高粱酒的香味在整个工地上荡漾着，伙伴们呼天喊地的猜枚声也响彻整个工地，大家都说喜酒不醉人，实际上大家都喝醉了。喝醉了的伙伴们话就稠了，有人问三元你媳妇好看不好看，三元说好看，有人说三元你媳妇好看带过来让大伙也看看呀，三元说这回俺请了半个月的假，结婚后就把媳妇带到工地上来，让大家好好地看……

第二天，三元在伙伴们的簇拥下乘上了火车，三元还不知道，自己的行李包里，多了一条粉红色暗花的毛巾被，三元更不知道，工地上的黑板下面的那行小字，此刻已经变成了醒目的大字：离三元回工地还有 15 天。

修院子

○刘成章

忙了好长时间，儿子终于在洛杉矶买下了新房，并且搬进去了。但是事情并没有结束，因为既有前院又有后院，前院后院现在都还处于土石裸露的荒蛮状态，必须使之升起现代文明的灿烂朝霞。

灿烂朝霞如何升起呢？前院主要是给公众看的，也影响着整个小区的房子的价值，牵涉着全小区居民的重大利益，搞得马马虎虎是一种缺德行为，所以草坪、花坛、短墙、曲径等等，不能不搞好；后院是供自己独享的，那才应是投资的重点，举凡花草、凉亭、喷泉、游泳池、烤肉台等等，自然是质高为佳。儿子和儿媳咬咬牙，说："马上请人设计吧，豁出这半年的工资！"

我和老伴儿忙起来了，翻报纸，查广告，打电话联系，陪庭院商估价。儿子和儿媳也忙起来了，每逢周末，根据我们联系的线索，把全家放在汽车轮子之上，广为参观、比较。然而忙了一气之后，却发现仅仅在华人圈子里绕来绕去是不行的，华人的价钱是便宜好多，但质量不行，于是又找洋人公司。我不会英语，老伴儿刚开始学，这一下，全部担子只能由儿子和儿媳挑了。儿子的主要精力用以科研，向来把时间看得十分珍贵，经常有人高酬请他出去讲课，他都一一婉拒。现在他只能一边唉声叹气，一边给洋人公司打电话了。

终有一日，蓝图设计出来了，小区管理处也把图纸批下来了，承建的公司也联系好了。我们都高兴地说："真不容易，赶紧开工吧！"可是儿子却忽有所悟，说道：“哎呀，差点儿疏忽了，还有一件大事呢！”我问：“什么大事？”他说：“写一个请批报告。”我问：“给哪里写？”谁能想到，儿子回答的竟是：“写给左右邻居。”

我早已知道，“不影响他人”，是美国的一条生活准则。比如，我曾在遛狗的路上高声谈论，儿子马上提醒我要小声些；比如，儿子听音乐的时候，还要走出门去听一听，看声音会不会传到外边；比如，住公寓房的人，绝不能养狗，等等。然而，我怎么也想不到，修自家的院子竟还要经邻居批准，这使我的心里大为震动。

儿子拿了报告先去找左边的邻居，左边的邻居是一户老美，老美表示同意，签了字，并且非常友好地与儿子聊了一会儿。后来找右边的邻居，那是一户意大利人，不巧，门锁着，他们一家旅游去了。

等了几天还不见回来，我们和承建公司都着急了。晚修几天本来是没什么关系的，问题在于，雨季快到了，雨季来到就不能施工了。

一天儿子与另一邻人攀谈，从而得知，那一户意大利人很不好说话。因此我们都有些忐忑了。

待到意大利邻居回来，他拿着报告和他的妻子研究了半天，还好，并没有提出什么大的问题。他只是说：“你们的烤肉台离我家太近，请你们往远处移一移，若要烤肉，务必事先通告我们。另外你们院墙边栽的几棵树，树叶是紫颜色，会使我家院子的色调显得不谐调，也请改种别的。”对于他的大部分意见，儿子表示会非常高兴地加以执行，唯一觉得烤肉要预先通告的问题，恐怕很难办到，于是说：“你们以前经常烤肉，也从来没有通告过我们。”经过好一阵子商谈，邻居总算在这个问题上勉强作了让步，仅把余下的意见写在报告的空白处，然后像从此便断了他的美好前程似的，很不乐意地签了名。

这一关通过得还算顺利，我们都为之庆幸。只是，因为要改图纸，我们又要请小区管理处再批了。

一个人的古树名木

○何　晓

很早很早以前，槐树和黄果树两兄弟一起出门去找落脚的地方。到了锦屏山对岸的嘉陵江边，黄果树看到西边有集市，就说，哥哥，你在这里等我，我进城去看看，有好地方落脚就回来喊你。黄果树进了城，发现最西边有个地方好，来来往往的人多。它原打算去喊槐树，可转念一想，这地方一棵树待着宽敞，两棵树待着逼仄，我要是把槐树喊来了，是它在这里还是我在这里呢？想来想去，眼看太阳都要落山了，它就决定先在这里睡一晚上，明天再去和槐树商量。哪晓得这一睡，竟梦里糊涂地长出根了。而城南江边的槐树左等右等不见黄果树的影子，站得太久了，也在那个荒坝坝里生了根……

江老汉才把龙门阵摆到这里，规划院的小王就对着满铺子的茶客说，老人家，我忙得很，先走一步，你们继续摆。江老汉连忙把茶碗放下，招着手说，莫要急，听我摆完嘛。

槐树生了根以后，长得飞快，几年间就枝繁叶茂了。它脚底下原本一片荒芜，但有了这棵树，鸟来了、花开了、草长出来了、其他树苗苗也冒出来了。远处山上的人看到这里有生气，就一家一家地搬来住。这里逐渐热闹起来，和老城连拢，也成了集市。只是从此，城西一直住的发财人家，城南住的平头老百姓。

小王听了，笑道，西边老城有3000年历史，南边说是新城，也有近千年的历史，眼前这槐树才有几圈年轮？老人家，传说嘛，当不得真。

江老汉喷出一大口烟圈，边咳嗽边说，毛娃娃，我不怕你是大学生，你晓不晓得传说是历史的影子？历史书是人写的，再花哨，影子不得变，不信试试看，你穿红衣裳身后拖的是这个影子，你穿白衣裳身后拖的还是这个影子。

小王摸着后脑勺，边往茶铺子外头走边不好意思地说，老人家，你的故事再好听，我的工作还是要做啊，现在我们市的森林覆盖率已经达到86%了，你不要心痛这一棵树嘛，等滨江路修好了，我们要栽更多的风景树。

江老汉撵上来说，你栽再多的风景树，也赶不上这一棵老槐树！谁敢砍这棵树，我就要跟谁拼命！哼，城西的黄果树你们为啥不砍？为啥偏要和城南的老槐树过不去？我看你们这次规划有名堂！

小王后退一步，涨红着脸说，城西的黄果树有400多年历史，是市政府挂牌保护的古树名木，随便上去动根枝枝都是犯法的。

怪哦，那个动根枝枝都犯法，这个就要连根铲？市政府为啥只说那棵树是古树名木，而不说这棵树是古树名木呢？

江老汉气得鬼火冒，挥舞着手上尺长的旱烟锅子，把小王一路逼到槐树底下去了。小王摸着槐树干说，你要讲道理嘛，这树干还没有水桶粗，哪里像长了400年的样子？

原来的老树四十多年前被砍去炼了钢铁，现在你看到的，是后来在砍断的地方发的新枝。你不信啊？我去拿县志来给你看。江老汉像是在和哪个吵架，继续吼。

这树根再老，它只要不是古树名木，修路的时候就保不住。我真的要走了，人家都在等我。小王边说边往前一个路段跑，那里他的同事正在画线。

江老汉看着已经圈到线内的槐树，也不和茶友打招呼，背起手就往城西走。黄果树在绸厂大门口，绸厂生产的降落伞面料是国家重点保护的军工产品，绸厂也是国家重点保护的军工企业。那几年，绸厂门口的这棵黄果树就是沾了军工企业的光，才没有被砍去炼钢铁。江老汉想，我隔三差五地就要从这里过一次，咋没看出来这树已经是古树名木呢？今天一定要仔细看看！江老汉一到树下就发现，树上真的挂了一块牌子，方方正正，蓝底白字，上面写着：古树名木，古城市人民政府立。

这么个牌牌嘛，钉上去就没人敢随便动这树一枝一叶了？好得很，我也找人民政府给老槐树发一个！江老汉于是就去找人民政府，人民政府说这事还得要有专家认证。江老汉于是又去找专家，专家不光看树根还要看树干、还要去调查还要写报告……江老汉没等专家把话说完，转身就走，边走边抱怨，等你的报告出来，滨江路都修好了，槐树早成干柴棒了！

江老汉很失望。他一路走着一路嘀咕，要一个古树名木的牌子咋就这么难呢？

正想着，他看到一家招牌店门口横七竖八地摆着各式各样的牌子。江老汉心里一动，走进去，三言两语，和店主人谈妥，交了定金，欢欢喜喜地哼着川剧回家了。

三天后，古城电视台播了一个市长专访节目，说修建滨江路南段时将要以槐树为中心，建一座槐树花园。节目是在城南槐树下拍的，热心的观众一眼就能看到，市长旁边的槐树上挂了一个牌子，方方正正，蓝底白字，上面写着：古树名木，一个人立。

在电视里，市长还说，即使“古城市人民政府立”的牌子做出来了，这“一个人立”的牌子也永远不取。

一路顺风

〇甘桂芬

眼看就要收麦子了，火车站挤满了用大编织袋包裹行李返乡的民工，火车上也越发拥挤了。

所幸我只是短途。我尽可能吸着气，将自己缩小在超负荷的座位上，避免被那些污脏的行李包撞上。

两个刚刚上车的民工，憨厚地赔着笑脸，小心地将他们庞大的包裹向前移动。已经是五月底了，他们身上居然还穿着棉袄。蓝色的化纤面料，做工很粗糙，看样子是价格低廉的地摊货，棉衣背后印满了白色的汗渍。经过我的座位时前边已经走不动了，他们只能站在过道里靠着行李包喘气。我看到旁边的女孩子捂着鼻子皱起了眉头，的确，民工身上浓重的气味让人不由得屏住呼吸。

他们大概已经见惯了别人的鄙夷，从周围乘客的表情中意识到了自己的不受欢迎，他们讪讪地笑着，两个人用只有他们自己才懂的方言一边张望着窗外一边小声说着什么，大约是关乎今年的收成。

看面相，他们应当在五十来岁，当然也可能由于过度的体力劳动使他们相貌显得比实际年龄老些。以这样的年龄出门打工，不外乎是要为年迈的父母换点医药费，给膝下的儿女留点书本钱吧。他们的衣服一样又破又脏，面色黧黑瘦削，脸上皱纹密布。从他们的装束判断，在外边做建筑工人的可能性大些。

好在现在国家政策保护，他们应当是能够如期拿到工资的，所以他们脸上带着一丝喜色，满是对即将看到的家人的期盼。

这时候，一个在火车上推销保健袜子的年轻人提着篮子走了过来，手里的钢刷“嘣嘣嘣”地敲打着行李架，聒噪地介绍他手中的保健袜。我长期乘坐这列火车，对他日复一日的表演和那套说辞已经司空见惯，眼不见心不烦，干脆闭目养神。

年轻人大声嚷嚷着：“不贵不贵啊，五块钱一包十块钱两包，一包三双，便宜得很哪，正宗的保健袜，男女老少都能穿，赶紧买啊。”

我听到有人小声嘀咕：“净骗人，这种袜子，一穿就烂。”

年轻人卖不掉袜子很失望，把气撒在民工的行李包上，狠狠踢了一脚，说：“净碍事！”顺手把袜子塞到他们手里，说：“看看！都看看！给家人带个礼物回去嘛，出门在外，挣钱不是要花的吗？总得捎点东西回去，老的小的都能穿。”

这最后一句话打动了两位民工，他们居然笑眯眯地接着了，也不说话，两个人相视一笑，各自从棉衣的内袋里掏出一把杂乱的最大面额十元的钞票，我猜更大的票子可能是被他们藏在更保险的地方了。

他们慢慢抽出十元的钞票分别买了两包，笑眯眯塞进棉衣的口袋。

他们也许是刚刚结算了辛劳几个月的工资，已经盘算了一路要给家人带点什么，离家渐近，恰好碰到这个霸道的袜子推销员，总算带回了给妻子老小的礼物，哪怕是一人一双袜子呢。

他们买下袜子的时候，也和我外出给母亲捎点补品，为小女挑选衣裙时一样的心情吧。他们也有要孝敬的父母，有等待疼爱的儿女，有翘首以盼的妻子。这么想，我就感觉不到他们的异样了。我们都是社会的微尘，为生计奔，为稻粱谋，为父母妻子尽心，都是一样的啊。

车到站了，我该下车了。回望一眼他们，他们的脸被即将到家的憧憬鼓舞着，笼罩着一层幸福的温暖。

祝他们一路顺风！

一张百元钞

〇晓　立

周日那天，我忙活完手头的一堆事务，又推掉了一个不必要的应酬，吩咐秘书看家，自己单独出去走走。

出了大楼，我信步徜徉。梧桐树的叶子被风吹得哗哗作响，垂柳依依抚摸我已近沧桑的脸颊。灿灿的阳光越过高高低低的楼群，彰显出车水马龙的市区。虽说这里没有乡下湿润甜美的空气，也没有传统古朴的民风，但经过多年的商场拼杀，我的事业还算有几分红火、几分蓬勃。

拐过一个光鲜巨大的服装广告牌，就来到了希望广场。这里的人比往日似乎多了些，一群老哥舞弄太极，静中有动。而花花绿绿的，则是老太太们宽衣长袖耍彩扇。我真羡慕这些个老家伙，鹤发童颜，活得如此自在逍遥。我虽比他们小不了几岁，但整日的忙碌应酬，特别是商场的诡谲，也难免让人滋长几分厌倦与失望。尽管世态炎凉，好在我的孩子大了，事业也可放放手，用不了几年就可告老还乡，享受那清新甜美的空气和古朴的民风喽。

一个可怜的孩子，不，应该说是一个男孩子模样的矮男人就伫在我的面前。他个子不到一米，唯有那张晒得黑红的脸，分明写着成熟。他的脚前是一个不大的铁罐头盒，里边静静地躺着一些横七竖八的小面额人民币，皱皱巴巴的。他见我来，竟没有任何表情，大眼睛只扑闪了两下，就把乞求的目光投向他人——也许因为我是个不起眼的老者吧。

平生我见过的乞者多了，但还是第一次亲眼看见这么矮小的人。他的身体也瘦瘦的，也许是营养不良吧。后背却隆得很高，显得没了脖子，让我的心也缩成一团。有个提包的妇女走过来，见我不停地看，就自言自语地说，这人在这两天了。说来也够可怜的，大小伙子却什么也干不了，爸爸重病在床，他还得靠他妈拾破烂养着……唉，现在还是穷人多哟！

果然，不一会儿就有个中年妇女蹒跚走来，手里拎着个黑色的大垃圾袋。衣服虽旧却很整洁，脸上堆着笑，对矮男人说：孩子，看，妈给你找到了什么？是甜面包啊！快吃，吃吧。

妈，你吃吧，你也快一天没吃东西了。矮男人的声音嗡嗡的。

妈是大人，抗饿呢。孩子，听话，吃吧！

矮男人快速用衣服蹭了两下手，接过妇女塞过来的面包就大口吃起来。我分明看见面包有一半被水浸过，颜色有些发白。可他吃得很香。转眼，面包就没了，然而他还在认真地一点一点舔着脏兮兮手上的面包屑，一下，两下，三下……

我实在看不下去了，尽管对国人出色的“表演”我有所防备，包括那些缺胳膊断腿的。但今天这一幕确实让我痛心，让我动容，眼泪险些掉下来。我从兜里摸出一张百元人民币，上前一步，弯腰放在罐头盒里，红红的，愿它能给母子俩带来好运与希望！

有人给了一百啊！

不知谁喊了这一嗓子，许多人都围拢来，把惊异的目光投向我。矮男人大眼睛扑闪着感激，并突然向我深深地一躬，嗡嗡地说：谢谢大爷！我不知说什么好，也不好说什么，就摆了摆手，内心在为他们母子祝福，还有那重病在床的父亲！

当我转身要走的时候，矮男人忽然想起了什么，抓起那张百元钞票，挤出人群，向右侧不远的一堆人奔去。他的腿极短，频率却极快，像一阵风刮过。

在人们的疑惑目光中，他奔到台前，几乎是爬到一个放捐款箱的桌上，只一下就将钱投了进去。捐款箱前有一个大牌子，红红的字很醒目：

献爱心，为患白血病的李玲小同学捐款！

人们看呆了，静静地，任街道上汽车的喇叭声声。

我也恍然大悟，心中所有的不解与郁闷一下子飘散得无影无踪。是啊，他有这个权利，每一个国人有这个权利！

抬头的一瞬，我就看见广场中心耸立的雕塑，有如一把利箭直插云天，在夏日温暖的阳光下，闪闪发光。

遇见红灯向右拐

○陈　毓

他们从酒吧里出来，已经是凌晨两点钟了。车辆稀少，街道空阔，行人几乎不见，最后一班交警也早已下班。这样，他们才能把车子在街道上开得像是跳舞一样。

红灯亮起时，他却能及时刹住车子。让坐在旁边的她由此判断，他把车子开得扭扭捏捏，并不是因为喝酒的缘故，而是他想这样开。

等绿灯的时候他们都不说话，阿菲的歌从背景音乐脱颖而出，满满地流淌在车子里：

“爱上一个天使的缺点，用一种魔鬼的语言……”

五个小时前，他们相遇在“真爱”酒吧里，一大帮真正陌生却又似乎能找到相熟线索的人的一次偶然相遇。一圈子介绍下去，一片啤酒瓶磕碰出的脆响中就彼此相熟了。

接下来不像开始那样喝得气势汹涌，改成了慢慢地喝。开始唱一些歌，有一些慷慨的掌声。后来似乎觉得彼此没有必要这样客气，索性想唱的就唱他的歌，想说话的只管说他的话，谁想干什么谁就干什么吧。

她挤过去找歌唱。他挪了挪屁股，殷勤地说，想唱什么歌啊，我替你点。他不会点，她也不会。折腾了半天，她的歌出来了，是王菲的《流年》：

“你在我身边，打了个照面……”

她看着荧屏唱。他看着她的嘴唱。

停顿的时候，他就给她鼓掌。眼睛里全是笑，真真假假，却很明媚。

“你还唱什么啊？瞧我刚学会了点歌，总不能这样白白浪费掉了才能？”她唱完一首，他立即说。

她大笑。他就说，有合唱的歌吗？你说一首我们俩唱。

她想了又想，老老实实地说，我记不住歌名。他就点了《双截棍》。听原声。她嫌太闹，嘟嘟囔囔的，不知所云。

一首首唱下去。他会自觉不自觉地把手臂伸过来，环一下她的肩，或是在她的头发上抚一把。

她感觉到了，可觉得没必要太认真。回过眼睛去看带她来的人，酒已经喝到七八成了。她偷偷看他一眼，说热，坐得远了一些。

他说：“热？干吗不把外套脱了，你的体形也不是太难看！”

她想这人是怎么说话的啊，看他的眼睛，却见他并不看她，就赌气似的把外套脱了。他像是早都忍不住似的一笑：“你早该脱的，这里这么热，你也不怕待会儿出去感冒了？”

她现在才明白他起身两次都是去调空调的，心里莫名的动了一下。

发愣的片刻，听见他的声音：“等一会儿走，我送你回去，好不好啊？”

没有说好，也没有说不好。想，有那么多人，谁知道谁会跟谁顺路呢？在刚才简单的对话中她知道他今天下午才到达她的城市，他请他认得的朋友喝酒，朋友又唤了朋友，朋友的朋友连带上朋友就连带到她这里了。

她去了趟洗手间，出来就见他在埋单。见她回来，看着她的眼睛说：“我送你啊！”

还是上了他的车。因为带她来的哥们儿也上了吧？他依次送他们几个人，最后是她。

第三个人下去的时候，他说："你坐到前面来吧。"

"我没有要害你的意思。" 他似乎笑了一下。其实她没有看见他笑，但忍不住这样去想。

"你坐到前面我觉得心安。"

"你可别指望我会带路。前面路口向南走，我还能说清楚，你要是走别的路我也许就说不清楚了。" 她跳下去，坐到副驾驶位置。

红灯再次亮起，他说："下一个路口，如果还是红灯，我们不等了，向右拐。遇见红灯向右拐，你同不同意啊？"

有一瞬间，她想到了家，想到了床。她想这会儿要是能立即回家，洗个热水澡，躺在自己的床上，翻书到天明，是一件幸福的事情。很多个周末，她就是这样过的。可她却说："好啊！只是那样，也许我就真的不能给你带路了，你也许不相信，我经常坐车坐过了站的。"

下一个路口，红灯。他像提前预言的那样，立即右拐。车子开进了一条更宽的马路。十分钟后，又是一个路口。绿灯。他接着直走。直到再一个路口。红灯，他流畅地右拐，车子进入了一个窄小的胡同。他们看见胡同两边的梧桐树巨大的枝干俯压在道路之上，形成好看的穹门，不由得同声赞美胡同的幽静，生活在胡同里的人的安宁。

出了胡同，是一个小小的十字路口，没有红绿灯，他笑问她："往那里走啊？"

"向右拐！" 她大笑着说。她早已迷失方向，所到之处只觉得陌生。还有奇异的好奇吧。她从来没有以这样的一种方式在这个城市行走过。而今夜她终于知道这个生活了多年的城市竟然有这么多她从未到过的地方，有她不曾看到过的夜景，黑暗以及明亮。她觉得这个城市很大、很空旷，有点美丽，也有些粗糙。真是恍惚如同梦游一样。

这样拐下去能走到自己的家吗？虽然南北不分，东西莫辨，可她却很想问他一个问题："你知不知道这个城市是一座方城，不知我们今天这样转下去，转回原地的概率有多大?”

“要是能画出今夜的行踪路线图就好了。”她心里不无遗憾。

“要是越拐越远，拐到城外去了呢?”这种概率也应该是有的啊。

她是不讨厌他的，而他，分明正喜欢她，这就是他们听由车子右拐下去的理由吗?

有一瞬间，她觉得自己的身子疲惫极了。她的疲惫的身子充满了对床的渴望，她觉得他说话的声音越来越遥远，隐隐约约，如在梦中，如梦中人语。

王菲的歌在午夜里唱，叫人觉得唱的人和听的人都有一种微醺的感觉。她的脑袋只需要一个可供停靠的地方，它似乎真的找到了停靠的地方，一下子就踏实了，安宁了。

她是一下子清醒过来的。从他的肩头望出去，她看见一棵绿荫匝地的枇杷树静静地立在草地上，像她每一个晨出暮归时看见的那样，站在那里，默无一言，不惊不奇地看着她。视线收回，聚焦在他的脸上，她看见他舒舒服服地靠在椅背上，正静静地笑望着她。

车窗外面，是她家小区的一个路口，车子静静地泊在路的右边。

“我是不是睡着了?”她问他，突然觉得十分的不好意思。

他嘴角一翘，算是回答。

王菲还在唱：“紫薇星流过，来不及说再见，已经远离我，一光年……”

“你怎么知道我家住在这里?”

“喝酒的时候我问过你。”

“那我告诉你了吗?”

“应该是告诉了的。”

“可是，你今天下午，哦，是昨天下午，才从珠海来!”

“你的家又不在外星球。”

“可你还是叫我吃惊。”

他莞尔一笑。牙齿洁白，眼神明亮。

她看见在他的身后，太阳光把几片枇杷树的树叶照得亮闪闪的。

她跳下车，又回头冲他招了招手。不知道是说“再见”还是说“你回去吧”的意思。

他冲着她的背影“嗨”了一声。

她没有再回头，一跳一跳地走了。

栀子花

○田双伶

一大早，阿花就蹬起三轮车去菜场卖菜了。她胖乎乎的身子把车压得吱吱扭扭响。

常来菜场买菜的人都认识阿花。她厚厚的嘴唇涂着鲜艳的口红，耳朵上晃着亮亮的假珍珠耳环，圆乎乎的胖屁股上裹的不是花裙子，就是花裤子，像只菜堆儿里趴着的大花斑蝴蝶。阿花卖青菜，还卖豆腐凉粉海带豆芽什么的。买菜的人总是五角一块地把钱一递，她用刀一划，一块凉粉就颤乎乎地托在手里，不用称，准多。好像那豆腐凉粉是她拾来的。买菜的人就很满意地提着走了。

阿花卖完菜回家常常就中午了，她慌慌张张地做好饭，然后就端着饭碗寻丑丫。胡同里，她边用筷子往嘴里扒拉着饭边粗门大嗓地喊：丑丫——丑丫……

丑丫不知又跑哪儿去了。

丑丫小时候被误打了针导致聋哑，脑子还有点迟钝，说话咿咿呀呀的。四邻们没有不怜惜丑丫的，要是别的女人都要愁死了。可阿花却不，她既不向人诉苦，也从不呵斥丑丫，更没慨叹过自己的命不好，天天想着法做好吃的，把街邻给的旧衣服改改给丑丫穿。女人们看着就说，啧啧，养猫儿似的。阿花男人，早早走了也不烦心了……

阿花才不愁呢。她的丑丫香着呢，有吃有穿什么都不愁。哪像有的孩子被逼着学琴学画学英语经常挨打受骂，丑丫想跑哪玩跑哪玩。有人问，阿花攒不少嫁妆钱吧？等丑丫长大了就许给俺家吧。阿花撇起厚嘴唇，那还得看俺丫儿愿意不愿意。

市场管理员老马天生一张阶级斗争脸，谁见了谁怵，只有阿花和他逗。老马人都快四十了，还单身，他的人生理想就是娶个媳妇，生个儿子，过上幸福生活，恨谁就打谁还不犯法。老马总是板着脸叨叨阿花的菜摆得不整齐，菜叶子乱丢，阿花就笑呵呵地说，老马，你咋这样啊，等你有儿子了把俺家丑丫许给你们当媳妇，咱做亲家呢……老马脸一横，谁跟你做亲家。阿花扯根大葱就挥过去，那就许给你，我给你做丈母娘……周围的人听了就笑。菜场里，人们的笑声混杂着鸡鸭的叫唤声，热闹非凡。

有时丑丫也跟着到菜场里来，四处跑，到谁那儿都会帮着从篓里把菜拿出来，摆好，神情庄重地看着人卖菜。人们摸着丑丫的头，说，闺女，真懂事。等你出嫁了给你添嫁妆哈……丑丫就嘻嘻地笑，阿花看见了也乐呵呵地笑。卖完了菜，阿花捶捶酸痛的腰和胳膊，准备回家。相邻的那家女人看了看她，叹着气说，一个女人家不容易，你好歹也得为自己想想啊。再说丫儿这样……

阿花理直气壮地说，我吃得好穿得好，没什么难的，挣了钱就是给俺丑丫攒嫁妆的。丑丫可不知道自己被许了多少人家了，待遇好着呢，走到水果摊前就有人给她水果，走到点心摊前就有人给她点心，还不断有人送她衣服穿……丑丫是菜场上最幸福的人了。阿花心里很欣慰，一家女百家养，丑丫简直就是她的骄傲嘛！可那天看着丑丫嘻嘻哈哈地从面前跑过去，她突然在一瞬间愁了：这些年丑丫倒是好养活，拿起衣裳就穿，端起碗就吃，人家玩电动车她就玩电动车，人家收游戏卡她就收游戏卡，领她去市场上转，女孩子喜欢的花裙子啊布娃娃啊，甚至头花小手绢什么的都没要过。都许了人家了，还没点儿女孩子的爱美心。这哪像闺女家呀？怎么不让人愁？

想起这些，阿花的笑就少了，开始唉声叹气了。老马的脸也绷得紧了。人有不顺心的事，做什么都不顺，看谁也都不顺。那天老马检查卫生，看到阿花把刷菜板的水流到过道上，和她大吵一通，两个人都脸红脖子粗的，吓得丑丫哇哇哭，好容易被人劝解开。

都一个多月了，似乎调解不好了。

那天傍晚阿花卖完了菜，把摊子收拾好，把丑丫抱上三轮车就准备回家。胖乎乎的阿花往上一坐，车子很难听地吱扭起来。菜场门口，一个小姑娘在卖栀子花，篮子里一簇簇白色的小花朵，溢散着淡淡的香气。丑丫坐在车上，眼巴巴地看着满篮子的栀子花，伸手比画着咿咿呀呀地说不出来，脸涨得通红，“哇”的一声哭了起来。

阿花看着她哭心里一急，气就粗了起来。一旁提着包子走过来的老马看了看丑丫，又看了看那一篮子栀子花，脸上的线条舒展开了，露出罕见的笑容。他走过去，掏钱买了一束，把栀子花塞到丑丫怀里，摸摸她的头，什么也没说，笑着摇摇头走了。

晚风轻轻地吹着，街上的灯光亮了起来。昏黄的路灯下，阿花回头望着怀抱栀子花笑嘻嘻的丑丫，心里欢喜起来，伴随着三轮车吱吱扭扭的声音，向家的方向去了。

栀子花的芳香，被微风吹着，渐渐溢散开来。她们身后的空气，都是香的。

传　递

○陆　樱

小敏原来是一个开朗活泼的女孩，她善于把微笑与快乐传递到每个人的心里。可是现在，她整个人都变了，因为那年冬天的一次车祸，使她失去了双腿，也失去了继续乐观生活的勇气。同学、亲人想尽办法开导小敏，还是无济于事。

在遭遇车祸前，小敏是个自信的女孩，高高的个子，优异的成绩。大家都说她是个全能的孩子，文化成绩好，又有艺术细胞。她擅长绘画，当然舞蹈跳得也很好。可是，如今的小敏一看到自己现在的样子，就没有勇气面对。她不能再跳舞了，生活中还必须依靠轮椅生活，一想到这些，她就开始讨厌自己，讨厌生活。

她的成绩开始下滑，因为不能跳舞了，她对绘画也提不起兴趣。夜里睡不着觉的时候，她就开始听收音机。那时候，电台里常常有一档节目，叫做“心灵驿站”。在这档节目里，主持人小薇常常用她柔美的声音解决收音机前听众的烦恼。每次节目后的那首《阳光总在风雨后》总是让人感到温暖，并让人产生快乐生活的勇气。

对于小敏，这样的节目也是遭遇挫折后唯一的安慰了，听到小薇的声音，她就能感觉到一丝温暖。渐渐地，她开始成为了这档节目的忠实听众。她也试着向小薇求助了。

“收音机前的听众朋友，大家晚上好。这里是‘心灵驿站’，我是小薇。希望今天的节目能给您带来温暖。现在让我们接听一位听众朋友的来电。”

“小薇姐姐，你好。我是‘心灵驿站’的忠实听众……”

“这位听众朋友好像是位小女孩对吗？”

“是的，我今年16岁。”

“这位小妹妹，这么晚了还在听广播吗？早点休息哦，明天还要上课。”

“我不想上课，上课没有意思，生活也没有意思。”

“请问你遇到了什么困难吗？”

小薇刚问完问题，连线就断了，小敏并没有把自己的情况说出来。可是以后的每一天，她依然在深夜的时候守在电台旁，聆听小薇的声音。她终于鼓足勇气，又一次在小薇的节目中打进了电话。这次，小薇听出了是她的声音。

“这位听众朋友，你好。有什么需要跟我们倾诉的吗？”

“你好，小薇姐姐。”

“你是那天打进电话的小妹妹对吗？”

“是的。小薇姐姐，我在一场车祸中失去了双腿。现在，我不知道该怎样生活，生活对我来说，已经没有希望了。”

“小薇姐姐，我想见你，可以吗？”因为是在录制节目，小薇并没有多说什么。

“请你先留下联系方式好吗？”

小敏把家里的电话留给了小薇，往后的日子里，她开始了期待。小薇觉得这是个特别的女孩，她决定去见见她。她们约在了一家咖啡厅见面，并且说明了彼此的特征。

小敏到咖啡厅的时候，便开始寻找小薇的身影。其实小薇早就坐在那里等她了。“小敏。”小薇先认出了她。小敏四处寻找，眼光开始落在一个人的身上。她有点不相信自己的眼睛，喊她的是小薇姐姐吗？因为眼前的小薇也是一个残疾人，她坐在轮椅上。

然后，她才真正开始走近小薇。她是一个小儿麻痹症患者，所以一直在轮椅上生活。但是，因为她对生活充满了热爱，她坚强地活着，并且成功地成为了一名播音员，将快乐与温暖尽可能地带给更多人。

小敏听完了小薇的故事，不禁流下了眼泪。

“小薇姐姐，为什么我没有你这样的勇气?”

“总要有个调整的过程，你也会好的。生活，不要总想着自己失去的，没有的。要想想自己拥有的。往好处想，你就会看到阳光。”

听完小薇的话，小敏似懂非懂地点了点头，擦了擦眼泪。“小薇姐姐，我要向你学习。”

“相信你一定会找回原来的自己，因为小薇姐姐也是这样过来的。”

“对了，你有什么爱好吗?”

“我喜欢舞蹈，绘画。可是我现在不能跳舞了。”

“那么你可以画画啊，画画同样充满乐趣。”

她们在愉快的聊天中告别，往后的日子里，她们真的成了好朋友。小薇把小敏当成妹妹，小敏呢，也把小薇当成自己的亲人。无论烦恼还是快乐，她都会向她倾诉。

时光飞逝，转眼小敏已经从艺术学院的美术系毕业好几年了，她已经成了市内小有名气的青年画家。一天，小薇在节目中跟大家说起了小敏，并且告诉大家小敏的一幅画刚刚得了一个大奖。后来，很多人都看到了那幅画：一个坐在轮椅上的女子，正在用声音传递微笑与快乐，这幅画的名字叫做《轮椅上的梦想》。

温暖的风

〇戚富岗

为了迎接“六一”儿童节，全市八所小学联合举办了一次“新星杯”作文大奖赛，要评选出最优秀的小作者。参赛小学生共有三千多名，作文题目是半命题式的，叫作“我最喜欢……”。

小学生写出来的作品五花八门，有的写“我最喜欢妈妈”，有的写“我最喜欢玩”，还有的写“我最喜欢吃巧克力”……经过数十位阅卷老师的紧张评审，最后评选出特等奖一名，一、二、三等奖各若干名。

随后，在市体育馆举行了隆重的颁奖晚会。由于市纪委是此次活动的赞助单位，因此，市纪委书记杨正超被主持人请到主席台上担任颁奖佳宾，由他给特等奖小作者颁奖。

获得一、二、三等奖的小作者领完奖后，特等奖的小作者上场了。她是一个十一二岁的小姑娘，穿得很破旧，但是两只乌黑的大眼睛透着灵气，她叫孟曼。

主持人宣布：“现在有请纪委书记杨正超上台为特等奖获得者孟曼颁奖。”杨书记兴冲冲地走上台去，一边从礼仪小姐手中接过奖杯交给孟曼，一边问孟曼：“小朋友，你这次写的作文题目是什么呀？”孟曼回答：“我写的作文题目是《我最喜欢塑料袋书包》。”孟曼的回答把杨正超弄糊涂了。“你最喜欢塑料袋书包，这是为什么呀？”主持人见杨书记对小孟曼写的作文很感兴趣，就说：“要不这样吧，孟曼，这里有你的作文原稿，你现在把它念一遍吧，让杨书记还有现场的同志都欣赏一下。”孟曼点头，主持人就拿来孟曼的作文交给孟曼。孟曼念道：

“在我们的同学中，王子怡说她最喜欢帆布书布，贴身、好洗，上面还有好看的图案；刘冰冰说她最喜欢‘背背佳’书包，背上后能让她身姿更挺拔；李薇说她最喜欢牛皮书包，结实又时尚。她们问我喜欢什么书包，我说，我最喜欢塑料袋书包，便宜、不用清洗，如果破了，从奶奶捡的塑料袋里挑出一只最漂亮的换上就行了。

“听了我的回答，她们都笑我，说我是穷鬼，只能用塑料袋书包。是，我家穷，因为，我的爸爸妈妈去世得早，我和我和奶奶相依为命，我的奶奶靠捡破烂养活我。但是，我真的感觉塑料袋书包很好用。用这样的书包不用像买帆布书包、背背佳书包、牛皮书包那样花钱，省了钱，就省了奶奶的劳累，我不想让我的奶奶劳累。

……

“现在，如果你问我最喜欢什么样的书包，我仍然会固执地回答：‘我最喜欢塑料袋书包！’”

孟曼清脆的声音在偌大的体育场里回荡，三千多人的体育场里，突然变得安静极了，女主持人的眼睛也红红的。人们都被孟曼的作文感动了。

颁奖晚会结束后，最先走出会场的是杨正超书记，司机问他：“杨书记，去哪儿？”他说：“去孟曼家看看。”

后来，孟曼家的邻居看到，孟曼背上了崭新的“背背佳”书包，还换上了漂亮的新衣服。邻居问孟曼的奶奶：“什么时候买的？”孟曼的奶奶自豪地说：“刚买的，是市纪委的杨书记给买的。”人们后来发现孟曼再也没用塑料袋当过书包，并且穿上了得体的衣服。市纪委杨正超书记同孟曼家结成了帮扶对子。

老师问她：“孟曼，你是喜欢塑料袋书包呢？还是这样的新书包呢？”

孟曼不假思索的回答：“我喜欢这样的书包。”

老师微笑着道："这么快就把艰苦朴素的作风丢了？"

孟曼摇头，"因为这是杨叔叔给我买的书包，它会时刻提醒我努力学习，将来能成为国家的有用人才，这样才对得起杨叔叔。"

老师的微笑更甜了。

几年后，孟曼通过自己的努力，考入了一所理想的大学，拿到通知书后她没忘记给杨叔叔报喜。

在大学里她还经常写信给杨叔叔谈学习、谈理想。杨正超书记在心中问她毕业后工作上有什么打算，她回信说，准备放弃留在大城市的机会，回到乡里当一名教师，尽自己的能力帮助孩子们成才。因为自己知道在一个孩子的心灵深处种下爱的种子有多么重要。读着孟曼的信，杨书记抬头望了一眼窗外。已是花儿绽放、新芽吐绿的季节，一缕缕暖风迎而拂来。